中老年人 学iPad 一看就会

全彩畅销
大字 图解版

● 汪薇／编著

中国青年出版社
CHINA YOUTH PRESS

中青雄狮

律师声明

北京市邦信阳律师事务所谢青律师代表中国青年出版社郑重声明：本书由著作权人授权中国青年出版社独家出版发行。未经版权所有人和中国青年出版社书面许可，任何组织机构、个人不得以任何形式擅自复制、改编或传播本书全部或部分内容。凡有侵权行为，必须承担法律责任。中国青年出版社将配合版权执法机关大力打击盗印、盗版等任何形式的侵权行为。敬请广大读者协助举报，对经查实的侵权案件给予举报人重奖。

侵权举报电话

全国"扫黄打非"工作小组办公室
010-65233456 65212870
http://www.shdf.gov.cn

中国青年出版社
010-59521012
E-mail: cyplaw@cypmedia.com   MSN: cyp_law@hotmail.com

图书在版编目（CIP）数据

中老年人学IPAD一看就会：全彩畅销大字图解版 / 汪薇编著. 一北京：中国青年出版社，2013.11
ISBN 978-7-5153-2077-9
I.①中… II.①汪… III.①便携式计算机-图解 IV. ①TP368.32-64
中国版本图书馆CIP数据核字（2013）第283913号

中老年人学IPAD一看就会: 全彩畅销大字图解版

汪 薇 编著

出版发行： 中国青年出版社
地　　址： 北京市东四十二条21号
邮政编码： 100708
电　　话： (010) 59521188 / 59521189
传　　真： (010) 59521111
企　　划： 北京中青雄狮数码传媒科技有限公司

责任编辑： 柳 琪
书籍设计： 六面体书籍设计
　　　　　封面设计 张旭兴
　　　　　版式设计 穆 地

印　　刷： 北京时尚印佳彩色印刷有限公司
开　　本： 889×1194 1/16
印　　张： 15.25
版　　次： 2014年2月北京第1版
印　　次： 2014年2月第1次印刷
书　　号： ISBN 978-7-5153-2077-9
定　　价： 49.90元

本书如有印装质量等问题，请与本社联系 电话：(010) 59521188 / 59521189
读者来信： reader@cypmedia.com
如有其他问题请访问我们的网站：www.cypmedia.com

"北大方正公司电子有限公司"授权本书使用如下方正字体。
封面用字包括：方正兰亭系列、方正粗雅宋。

前　言
PREFACE

编写本书的意图

随着科技的高速发展，人们的生活习惯也在发生着翻天覆地的变化。逛街购物的人变少了，卖手机充值卡的网点变少了，在银行排队等候转账的人变少了，节假日在家宅着的人也越变越少了……不过相对的，上网购物的人变多了，网上充手机交水电费的人变多了，网上银行直接转账汇款的人变多了，自助出行的人也越来越多了。短短几年间，中国的网民已从不到一亿急速增长到近六亿，这足以说明越来越多的人享受到了高科技和网络时代所带给我们的便捷，丰富的网络资源和应用，让我们的生活变得更加丰富多彩。

但是，对于中老年人而言，想要很好地掌握电脑的应用并不是一件非常容易的事情。电脑繁琐的组件和操作让许多的中老年人望而却步，尤其是很多中老年人在学习了成长一段时间的电脑操作后，却仍旧困在文字输入阶段而止步不前。于是很多中老年人就不禁要问，难道我们就没法轻松地学会电脑应用享受一把现代的网络生活？难道我们就不能像年轻人那样可以随意地上网、聊天、购物、玩游戏来丰富我们的业余生活？难道我们就真的跟不上时代啦？

答案肯定是否定的，随着平板电脑的出现，这些在电脑上学不会的复杂操作、文字输入等难题统统都迎刃而解。这就好像十年前，手机还只是一个功能极其简单的通讯产品，十年后，手机已变身为几乎可以取代电脑的通讯设备。而 iPad 作为平板电脑的代表，不仅兼具了手机和电脑的部分功能，而且又有自己独有的特点。它没有电脑那么大的体积，便于携带，同时又拥有比手机更大、更清晰的屏幕，便于操作和浏览，最主要的是它极其简单的操作方法、人机互动智能化的特点，使得即使是中老年人也可快速地掌握其所有的功能和应用。除此之外，它还拥有海量的应用程序可供下载和使用，能够满足中老年人所有的上网、休闲、娱乐、学习、阅读、交流等的一切需求，让中老年人也可以轻松地赶上时代步伐，享受高科技和网络所带给我们的便利和乐趣。

本书内容

本书内容详细介绍了 iPad 应用的方方面面，从 iPad 的基本操作方法，到日常生活中的各种应用；从拍照录制视频，到观看网络影视剧；从阅读网络新闻和资讯，到从网上购买各种东西；从简单的网络交流，到全球免费互通；从欣赏网络音乐，到各种各样的娱乐游戏；从孩子的教育，到自身的保健和养生等几乎涵盖了围绕 iPad 所有功能的应用。同时，针对这些内容还进行了举一反三的讲解，让大家可以更好地掌握所学知识。

本书特色

本书采用了全彩大字 + 案例图解的写作方式，非常适合所有中老年人读者阅读和学习。本书内容丰富实用，结合 iPad 极为简单的点、划操作，让几乎每个中老年人都可以自由无障碍地使用 iPad。你仅仅需要做的，就是按照书中所讲解的案例，跟着一二三的步骤操作下去即可。

本书是根据 iPad 的使用特点，专为广大中老年人量身打造的一本 iPad 使用详解，不但内容丰富，而且每个案例均选自最贴合中老年人日常生活实际需求的应用，实用性极强。

首先，本书去除了各种枯燥的理论性内容，更加注重内容的可操作性。几乎所有的内容都是取自中老年人生活中的案例，并按照步骤图解的方式进行生动讲解，让每个读者都可以按照书中的步骤，一步一步地完成各项操作，这样的内容安排更加简洁明了。

其次，本书中的每个步骤讲解，都配有大量的图注和提示信息，比如，需要在某个按钮或文字上轻点，或需要在某处输入文字等，都进行了清晰的标示，即使读者不看文字，也可跟着步骤图完成案例的操作。

最后，本书还提供了大量"多学一招"的小贴士，这些贴士可以帮助读者大大扩展内容的阅读空间，并可以根据这些贴士了解到更多关于 iPad 应用的技巧和常识及各种注意事项等。因为网络的世界是非常广大的，虽然我们对每一类的应用都做了详细的讲解，但是相对于整个互联网来说，我们所介绍的内容不过九牛一毛，因此，学会举一反三才是最好的办法。

本书内容安排合理、选材全面、讲解翔实准确、步骤连贯完整，不但指出了操作的方法，也指出了使用的方向。因此，拥有本书你不但可以完成 iPad 的各种基本操作和应用，而且还可以触类旁通地完成所有 iPad 的相关应用。拥有本书，你就会发现，使用 iPad 原来是一件如此简单、愉快的事情，它让我的生活从此变得大不同！

编者

目 录
CONTENTS

Chapter 01

触摸iPad头一回

Chapter 02

iPad操作易上手

Chapter 03

日常生活应用多

Chapter 04

照片视频随我拍

Chapter 05

音乐视频带着走

Chapter 06

网络世界很精彩

Chapter 09

读书购物真方便

Chapter 10

孩子教育我有方

Chapter 11

身体健康享幸福

Chapter 01　触摸iPad头一回

张爷爷

孩子孝顺，给我买了一个平板电脑，好像叫 **iPad**。

张爷爷

说只要是我想到的任何事都可以用它完成，可我哪会用这么高科技的东西呀？

李奶奶

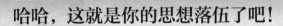

哈哈，这就是你的思想落伍了吧！

李奶奶

这有什么难的，特别简单。我孩子也给我买了一个，让我来教教你吧！

1.1 iPad——中老年人的最佳选择

随着社会的不断发展，越来越多的中老年人不甘落后，纷纷进入老年大学学习电脑与网络应用，体验新科技所带来的便利和丰富的生活。而相较电脑繁琐的操作和控制而言，iPad凭借其便捷的全触摸屏操作、丰富的应用程序和轻便的外观设计，受到越来越多中老年人的喜爱和追捧。

1.1.1 什么是 iPad

iPad是一款苹果公司于2010年发布的平板电脑，定位介于苹果智能手机iPhone和笔记本电脑产品之间，机身通体只有四个按键，可以用来浏览互联网、收发电子邮件、观看电子书、播放音频或视频、玩游戏等。

目前，苹果公司已经陆续推出了5种4代iPad产品，分别是iPad 1、iPad 2、The new iPad（iPad 3）、iPad mini和iPad 4。根据用户需求不同，又分为WiFi版和WiFi+3G版，并且有16GB、32GB、64GB等不同容量大小的iPad。

1. iPad 1

iPad 1于2010年1月上市，它配备A4单核1GHz处理器，256MB内存；9.7英寸LED背光镜面Multi-Touch（多点触控）显示屏，具有IPS技术，分辨率为1024×768；尺寸为242.8mm×189.7mm×13.4mm，WiFi版重680g，WiFi+3G版重730g；内置25Whr充电式锂电池，使用时间可持续10小时，待机时间长达1个月。不过目前iPad 1已经停产，仍然在市面上流通的，多为换新机和翻新机，价格大多在1000元~1500元左右。

2. iPad 2

iPad 2于2011年9月上市，相较于一代而言，最大的提升就是配备了全新的A5双核1GHz处理器，性能更强、速度更快，内存容量也由原来的256MB提升为512MB；不仅多了前置30万像素和后置70万像素的摄像头，而且厚度仅为8.8mm，机身更轻巧便携。iPad 2目前依然为市面上比较主流的产品，价格也不算太贵，大概在2500元左右。

3. The new iPad（iPad 3）

iPad 3于2012年3月上市，苹果公司将第三代iPad定名为"The new iPad（全新iPad）"。新一代平板电脑The new iPad的外形与iPad 2相似，配备了功能更强的A5X四核1GHz处理器，内存容量增加到了1GB；屏幕采用全新的Retina（视网膜）显示技术的超清显示屏，分辨率更是高达2048×1536；后置摄像头也由70万像素提升为500万像素，可拍摄1080P（1920×1080）视频；电池容量增大，有三块4000mAh锂电池，但厚度也增加到了9.4mm。

4. iPad mini 和 iPad 4

2012 年 10 月，iPad mini 和 iPad 4 同时上市。此时，The new iPad 刚上市还没有多长时间，第四代 iPad 显然并不是真正意义上的第四代产品，实际上就是第三代 The new iPad 的硬件升级版。第四代 iPad 配备了双核 A6X 处理器，处理器速度和图形处理速度都相比老一代提升了两倍，此芯片内置更完善的图像信号处理技术，与 Retina 显示屏的惊艳品质相得益彰；App 应用程序的运行更为流畅，启动速度也更快；尺寸与第三代相同，为 241.2mm×185.7mm×9.4mm，重量为 652g；iPad 4 配备了前置 120 万像素和后置 500 万像素的摄像头，支持 720P（1280×720）高清视频和 1080P（1920×1080）全高清播放录制。

iPad Mini 则采用了 7.9 英寸的 Retina 显示屏，分辨率为 1024×768，重量约为 308g，厚度仅为 7.2mm，更轻巧、更便携。

1.1.2 中老年人用哪款 iPad 最合适

了解了苹果公司推出的各代iPad产品后，相信大家也有了一个比较全面的认识。但对于中老年人来说，选购和使用哪款iPad最合适、最具性价比呢？相信绝大多数人都会首推iPad 2。

从性能上来说，iPad 2完全可以满足中老年人的各种使用需求，如上网、看电影、聊天、看书等。从价格上来说，相对其他产品也极具优势。此外，其超薄的机身和超长的使用与待机时间，无疑都是中老年人的最佳选择。

iPad 2的标准配置包括：iPad主机一台、数据线一条、电源充电头一个和使用说明书一份。

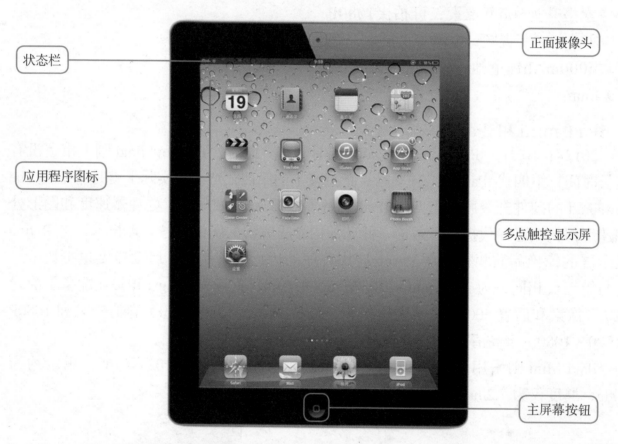

状态栏

应用程序图标

正面摄像头

多点触控显示屏

主屏幕按钮

iPad 2的机身通体只有4个按钮，分别是：位于机身正面的"主屏幕按钮"，主要用于退出正在运行的程序，切回主屏幕；位于机身顶部的"睡眠／唤醒按钮"，主要用来打开／关闭iPad及锁定／解锁iPad；位于机身右侧的"侧边开关"，主要用于使iPad静音或控制iPad屏幕的旋转；与"侧边开关"紧挨的"音量按钮"，主要用来控制iPad的音量。

这些按钮的操作都极为简单和方便，非常适合中老年人使用。至于具体的操作方法，将在后面的章节中进行详细介绍。

睡眠／唤醒按钮

背面摄像头

侧边开关

音量按钮

耳机插孔

麦克风

扬声器

基座接口

1.1.3 中老年人用 iPad 可以做什么

　　介绍了这么多关于 iPad 的功能和特点，那么中老年人用 iPad 到底可以做什么呢？简单地说，现在使用 iPad，只需一根手指，就可以在点、划间轻松完成以往需要学习和使用繁琐的电脑才能完成的各种应用。

1．便捷生活的网络查询

　　上网早已不再是年轻人的专利，越来越多的中老年人体验到了网络给生活带来的乐趣和便利。上网查询饮食宜忌、儿女所在城市的天气、出游航班的时间、主治大夫的相关资料等，都将变得易如反掌，再也不用到处求人，戴上老花镜，拿出 iPad 就可以轻松解决所有这些难题。

2. 随时随地在线学习

正所谓活到老学到老，社会发展的脚步如此之快，如果再不多多地了解和学习，就会越来越跟不上时代的步伐，这恐怕是大多数中老年人的心声。那怎么办呢？现今不仅学习成本高，而且还要担心年龄大学不会。不过有了 iPad，这些问题瞬间迎刃而解。中老年人持用 iPad 就等于拥有了一个移动图书馆、私人的老年大学，海量的学习资源随时可用，再也不用担心学习难和学不会的问题。

3. 轻松健脑休闲娱乐

看电影、看视频、听音乐、听戏曲，iPad 就像一个随身电视机，满足着中老年人的各种娱乐需求。不仅如此，通过 iTunes 还可以下载到无数有趣的应用程序和游戏，和老朋友下下象棋、跟孙子一起切切水果、和老戏迷们一起唱唱 K、跟老伴儿来一次精彩旅程……丰富的晚年生活，从此变得大不相同。

4. 聊天交友排遣孤独

为儿女操劳了大半辈子，如今他们要么远赴另一个城市打拼，面对激烈的社会竞争和压力不能时常回来陪伴自己，要么已经成家立业，有了自己的生活，这使得很多的中老年人倍感孤独。上 QQ 跟儿女聊聊天、用微信跟朋友免费通话、上微博关注孩子的动态……世界不再大，距离也不再遥远。

多学一招

中老年人终于可以不用再为学不会电脑繁琐的操作而发愁了，因为使用 iPad 就可完成所有在电脑上的操作和应用，并且更加方便、快捷。

1.2 中老年人 iPad 快速上手

　　iPad 之所以如此受中老年人的欢迎，就是因为它的操作十分简单，只需通过简单的手势，就可以完成各种各样的设置及应用等。

1.2.1 如何开启和锁定 iPad

　　iPad 的开关机与锁定 / 解锁，都通过其顶部的睡眠 / 唤醒按钮来完成。

1. 开机与关机

　　若要开机，只需按住睡眠 / 唤醒按钮数秒，直到屏幕上出现苹果标识即可。

　　若要关机，也只需按住睡眠 / 唤醒按钮数秒，直到屏幕上出现红色关机滑块，然后从左向右滑动该滑块即可。

2. 锁定与解锁

　　若要锁定 iPad，只需按一下睡眠 / 唤醒按钮即可。

　　锁定后，按下睡眠 / 唤醒按钮或主屏幕按钮，在点亮的锁定屏幕中，从左向右滑动下方的解锁滑块，即可解锁 iPad。

多学一招

锁定 iPad 后，触摸屏幕不会再有任何反应，但并不影响音乐的播放，用户可以继续使用音量按钮来控制音乐音量。

1.2.2 iPad 的主屏幕按钮有什么用

　　iPad 主屏幕按钮的功能非常多，可以用来快速启动搜索屏幕、启动多任务处理状态栏（Dock）和退出应用程序。

1. 按一次的作用

　　在主屏幕起始页中按一次该按钮，即可快速启动搜索屏幕，如右图所示。如果是在主屏幕的其他页面中按一次该按钮，则可快速返回主屏幕的起始页。

在任意应用程序界面中，按一次该按钮，即可快速退出当前应用程序，并回到该应用程序所在的主屏幕页面。

2. 按两次的作用

在主屏幕或任意应用程序界面中，连按两次该按钮，即可快速启动多任务处理状态栏，即Dock。

多学一招

如果是在应用程序界面中启动的多任务处理状态栏，则只需在状态栏以外的区域轻点屏幕，即可将其关闭并返回到应用程序界面。若是按主屏幕按钮来关闭，则会从应用程序界面退回到主屏幕。

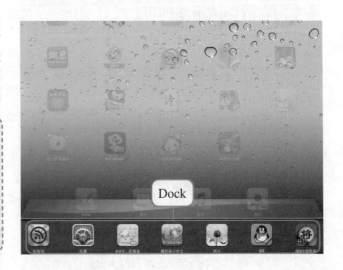

1.2.3 iPad 的侧边开关有什么用

iPad 侧边开关的默认功能是静音开关，用来快速关闭 iPad 的各种通知和提示音，但并不会静音所播放的音乐。

iPad 的侧边开关可以根据用户需求的不同，将其设定为静音开关或是锁定屏幕旋转开关，以方便 iPad 操作。

1. 开启和关闭声音

01 向下拨动侧边开关，即可使iPad静音，并且会在屏幕中出现静音标识。

02 向上拨动侧边开关，即可关闭静音。此时开启的 iPad 声音，默认为最小。

2. 重新设定侧边开关功能

在主屏幕上轻点"设置"图标，接着在打开的设置应用程序界面左侧的设置列表中轻点"通用"选项，然后在右侧轻点"锁定屏幕旋转"选项，即可将侧边开关的功能设定为锁定屏幕旋转开关。

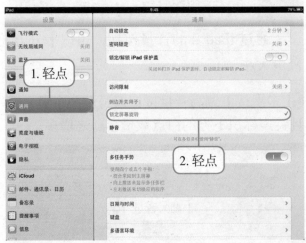

多学一招

若想再次将侧边开关的功能设定为静音开关，在此界面中轻点"静音"选项即可。

3. 锁定和解锁屏幕显示方向

重新设定侧边开关的功能后，侧边开关就会变为锁定屏幕旋转开关，可以快速实现屏幕显示方向的锁定和解锁。

01 在屏幕处于横排显示时，向下拨动侧边开关，即可快速锁定屏幕为横排方向。

02 向上拨动侧边开关，即可快速解除对屏幕横排方向的锁定。

03 将 iPad 的屏幕显示方向转为竖排显示，然后再次向下拨动侧边开关，即可将屏幕锁定为竖排显示，同时会再次出现锁定标识。

多学一招

锁定屏幕方向后，iPad 的屏幕方向就不会再随用户手持 iPad 方向的改变而改变；解锁屏幕方向后，则可随意旋转 iPad 的屏幕显示方向；若想再次锁定为横排方向，进行上述逆向操作即可。

1.2.4 如何调整 iPad 的声音大小

通过 iPad 2 的音量按钮，可以十分方便地控制播放的音乐和游戏等各种应用程序的音量大小。

01 多次按下调高音量按钮即可调大音量，并且铃声标识下方的白点数量会随之增多。

02 多次按下调低音量按钮即可调小音量，并且铃声标识下方的白点数量会随之减少。

03 按住调低音量按钮并保持两秒钟，即可实现快速静音。

多学一招

此时开启的静音功能跟前面介绍的静音操作不同，这里静掉的是播放的音乐、视频及游戏等应用程序的声音，而不只是通知和提示音的声音。

1.2.5 如何通过基本手势操控 iPad

　　iPad 的所有屏幕和应用操作都可以通过简单的轻点、两指捏合及拖曳等手势来完成，操作便捷、反应灵敏。

01 只需轻轻点按 iPad 屏幕，就可以完成几乎任何应用程序的开启、执行、访问等操作。

02 在查看照片、网页、电子邮件或地图时，可通过张开或合拢手指进行放大或缩小操作。

多学一招

在查看照片和网页时，快速轻点屏幕两次，也可对其进行放大或缩小。在查看地图时，轻点两次屏幕可放大，用两个手指轻点一次即可缩小。

03 解锁、查看照片或阅读电子书时，在屏幕上轻轻滑动手指，即可快速完成执行、滑动页面或翻页等操作。

多学一招

在"设置>通用"界面中开启"多任务手势"功能，即可在任意应用程序界面中，使用4个或5个手指，通过在屏幕上轻轻点按并同时捏合，来快速退出所有应用程序回到主屏幕，或通过向上推送屏幕来显示多任务处理状态栏，还可以通过左右推送来轻松切换应用程序。

iPad 常见的屏幕界面不外乎主屏幕界面、应用程序界面、搜索屏幕界面及程序下载安装界面，下面我们就来详细认识一下。

1.3.1 什么是 iPad 主屏幕界面

主屏幕是 iPad 的起始页面，用户可以在此页面中找到全部的应用程序图标和文件夹，如下左图所示。

iPad的主屏幕最多可以包含11个页面，放置220个程序图标。主屏幕页面的多少，取决于用户向iPad添加的应用程序的数量，添加的数量越多，所拥有的主屏幕数量也就越多。主屏幕下方高亮显示的白点，即表示用户当前所处的页面位置，如下右图所示。

用户可以根据自己的喜好安排各应用程序图标的位置，还可以使用文件夹来进行整理，让 iPad 更加个性化。

不仅如此，iPad 还支持用户将经常访问的网站地址作为快速链接标签放置在主屏幕上，方便访问。

通常我们所说的主屏幕，就是指 iPad 的主屏幕起始页面，若想在各页面间进行切换，只需在主屏幕上左右轻轻滑动手指；若想快速返回主屏幕的起始页面，按下主屏幕按钮即可。

1.3.2 什么是搜索屏幕界面

iPad 的搜索功能非常实用，它可以帮助用户快速完成本机的存储资料的搜索，包括应用程序、备忘录及通讯录等，也可以使用关键词通过 Google 和维基百科来进行更多丰富资料的网络搜索。

下面详细介绍 iPad 搜索功能的使用。

01 在 iPad 主屏幕起始页中，向右拖动主屏幕页面，即可进入搜索屏幕界面。

02 在搜索栏中输入搜索内容，如"京剧"，其下方就会弹出从本机上搜索到的结果列表。

多学一招

打开搜索屏幕界面的方法，除了前面介绍过的通过按主屏幕按钮和向右拖动主屏幕页面的方法外，还可以直接轻点主屏幕下方页面提示原点左侧的小放大镜图标来开启。

03 轻点列表中的搜索结果选项，即可快速将其打开。若轻点"在 Web 中搜索"选项，即使用百度引擎来进行关键词的搜索。

04 若轻点"在维基百科中搜索"，则跳转至维基百科中来进行关键词的搜索。

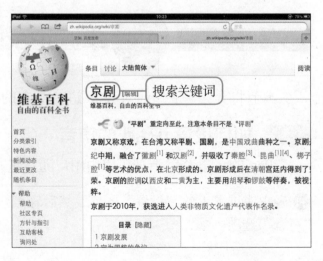

1.3.3 什么是应用程序界面

　　iPad的应用程序和拓展功能非常的丰富，与我们日常生活息息相关的常用应用程序涵盖商务办公、影音娱乐、网络社交及家庭理财等。而打开这些应用程序后所显示的界面即为iPad的应用程序界面，如右图中显示的就是新浪微博的iPad应用程序界面。

1.3.4 什么是程序下载安装界面

　　用户可以通过苹果公司的平台为自己的iPad拓展无限量的应用程序、音乐、电影及博客等。

　　一切让iPad变得更好玩、更实用的拓展功能，都可以通过iTunes或iPad内置的App Store应用程序来进行下载和安装。右图所示的就是使用App Store下载网易公开课应用程序的界面。

　　下载完成后，该应用程序就会被自动安装到用户的iPad中。

程序下载安装界面

1.4 掌握 iPad 的基本设置方法

　　本节将介绍一下如何对iPad进行基本的设置，如声音、日期、自动锁定等的设置。

1.4.1 如何设置 iPad 的声音

　　iPad的音量和铃声都可以由用户随意进行设置。

01 轻点主屏幕上的"设置"图标，然后轻点"声音"选项。

02 滑动"铃声和提醒"的滑块，即可调整声音的大小。

03 轻点"电话铃声"等选项，即可在打开的铃声列表中轻点选择自己喜欢的铃声。

04 轻点下方的选项开关，即可打开或关闭锁定和按键的提示音。

1.4.2 如何设置日期与时间

　　用户可以将 iPad 的时间设置为 12 小时或 24 小时制，下面将介绍设置 iPad 时区、时间和时制的操作。

01 轻点主屏幕上的"设置"图标，然后轻点"通用 > 日期与时间"选项。

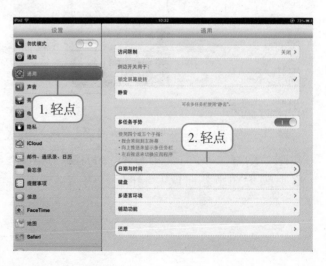

⓶ 打开或关闭"24 小时制"的开关，即可用 12 小时制或 24 小时制的显示方式在 iPad 的状态栏中显示时间。

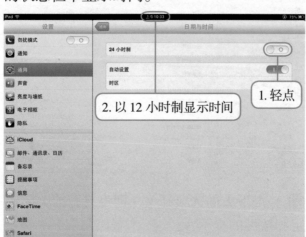

⓷ 轻点关闭"自动设置"的开关，然后轻点"时区"选项，在打开的时区搜索栏中即可手动查找自己所在位置的时区。

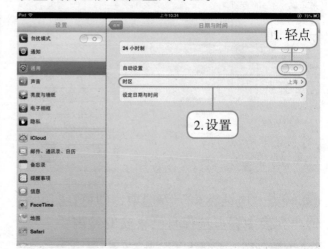

多学一招

轻点时区设置左上角的"日期与时间"按钮 ，即可返回上一级选项设置界面。在 iPad 设置中，若要返回上一级选项界面，只需轻点相应的选项按钮即可。

⓸ 轻点"设定日期与时间"选项，弹出日期与时间设置控件。轻点日期选项，分别滑动年、月、日的轮轴，即可调整 iPad 日期。

⓹ 设置好 iPad 的日期后，按照同样的方法，轻点时间选项，通过滑动相应的时间轮轴，即可调整 iPad 的时间。

多学一招

需要注意的是，只有在"自动设置"开关被关闭时，才可自行手动设置 iPad 的时区和时间，否则"时区"与"设定日期与时间"选项将不可用，并且 iPad 会在联网时，自动根据网络来同步和更新时区与时间。

1.4.3 如何设置自动锁定时间

设置 iPad 自动锁定的时间，可以让 iPad 在长时间无人使用时，自动锁定屏幕，以节省电量。可以按照个人使用的习惯，来设定自动锁定的时间。

01 在主屏幕上轻点"设置"图标，接着轻点"通用 > 自动锁定"选项。

02 在打开的自动锁定设置界面中，轻点所需要的锁定间隔时间即可。

1.5 个性化我的 iPad

根据个人的使用习惯和特殊要求，可以对 iPad 进行个性化处理，如调整屏幕的亮度，设置屏幕壁纸、隐私密码、勿扰模式等。

1.5.1 如何设置屏幕的亮度

由于室内、室外以及各种环境下光线的强度不同，对 iPad 显示亮度的需求也会不同。在光线比较强的地方需要 iPad 的屏幕亮度更亮，这样才能看清屏幕上显示的内容。但如果在光线比较暗的地方，屏幕还过亮的话，屏幕显示效果就会过于刺眼。

01 在主屏幕上轻点"设置"图标，接着轻点"亮度与墙纸"选项。

② 左右拖动亮度的调节滑块，即可调亮或调暗 iPad 的屏幕亮度。

多学一招

如果打开"自动亮度调节"开关，iPad 则会根据环境光线的强弱来自动调整屏幕显示的亮度。

1.5.2 如何更换屏幕内置的壁纸

用户可以将各种各样精美的图片设置成为 iPad 锁定屏幕和主屏幕的壁纸，从而让自己的 iPad 更加个性化。设置锁定屏幕和主屏幕壁纸的方法有两种，一种是通过"设置"应用程序，另一种则是通过照片应用程序。

通过"设置"程序，使用 iPad 内置的壁纸来设置 iPad 锁定屏幕和主屏幕壁纸的操作非常简单，下面将详细介绍。

① 轻点"设置 > 亮度与墙纸"选项，然后轻点"墙纸"选项。

② 选择墙纸所在的文件夹，这里使用 iPad 自带的墙纸，因此轻点"墙纸"选项。

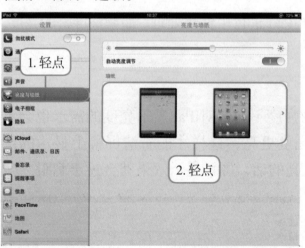

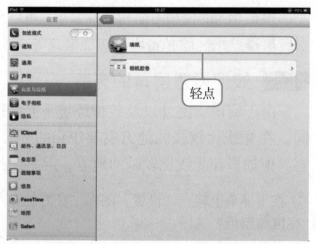

③ 在打开的墙纸列表中，轻点所需的图片缩略图，将其打开。

④ 在打开图片的右上角，轻点按钮，即可进行相应的设置。

多学一招

轻点"设定锁定屏幕"按钮，就可将打开的图片设定为锁定屏幕的墙纸；轻点"设定主屏幕"按钮，就可将此图片设定为主屏幕的墙纸；轻点"同时设定"按钮，就可将此图片同时设定为锁定屏幕和主屏幕的墙纸。

⑤ 设定为主屏幕墙纸后的效果。

⑥ 设定为锁定屏幕墙纸后的效果。

1.5.3 如何将孙子的照片设置为屏幕壁纸

老人们总是会时刻惦记着自己的孙子，无时无刻都想见到他们。在iPad中，也可以将自己孙子的照片设置成为屏幕壁纸，这样就可以时刻看到啦！

① 使用相同的方法，轻点"设置 > 亮度与墙纸 > 墙纸"选项，然后再轻点"相机胶卷"选项。

02 在打开的照片列表中，轻点打开之前储存在 iPad 里的孙子的照片。

03 按照前面介绍的方法，轻点照片右上角的按钮，即可进行屏幕壁纸的设定。

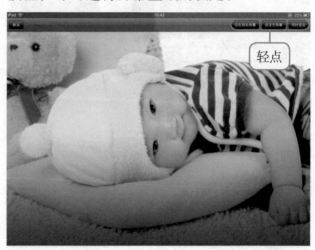

多学一招

用户除了可以使用 iPad 拍摄的照片和其内置的图片进行壁纸的设置外，还可以通过同步电脑中的照片或者存储网页上的图片来进行壁纸的更换。

1.5.4 如何为 iPad 设置密码锁定

为 iPad 设置密码，不仅可以很好地帮助用户保护自己的隐私，而且还可以帮助中老年人更好地限制孩子们玩 iPad 的时间和次数，以免伤害他们的眼睛。

启动 iPad 的密码锁定后，一旦 iPad 被锁定，想要再唤醒 iPad 时，就必须要输入设定的密码才行。

01 轻点主屏幕上的"设置"图标，然后轻点"通用 > 密码锁定"选项。

02 在打开的密码锁定设置界面中，轻点"打开密码"选项。

03 在弹出的"设置密码"设置控件中，轻点数字键输入所需的密码。

04 输入完毕后会提示再次输入密码，再次输入刚才设置的密码。

05 设置好 iPad 的锁定密码后,"打开密码"选项变为"关闭密码"。这时,将 iPad 锁定后再开启时,就需要输入密码,不输入或输入错误都将无法解锁 iPad。

06 若想进行密码的修改和关闭等操作时,也需要进入通用设置界面,通过输入密码才能进入"密码锁定"设置界面。

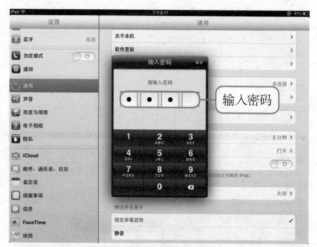

07 若要进行 iPad 锁定密码的更改、关闭、简单与复杂密码的设定,只需轻点相应的选项和开关,按照提示一步步跟着操作即可。

多学一招

简单密码的设定为四位数字密码,而复杂密码则可以使用大小写英文字母、数字及符号等,并且不限位数。一般来说,密码越长越复杂,iPad就越安全,但太长太复杂也不便于记住和使用,可根据自身情况选择。

1.5.5 如何设置 iPad 的勿扰模式

中老年人的神经一般都会比较脆弱，尤其到了晚上，哪怕是非常小的动静和声音都有可能被惊醒。而 iPad 里装的很多应用程序，都有信息推送和提醒功能，而且不分时段。这时就需要对它们进行设置，以防其影响到中老年人们休息。

01 轻点主屏幕上的"设置"图标，然后轻点"通知 > 勿扰模式"选项。

02 在打开的勿扰模式设置界面中，轻点打开"设定时间"开关，开启时间设定选项。

03 轻点"从至"时间设定选项，根据自己的作息时间来设置勿打扰的时间段。

04 通过"允许这些人的来电"选项，可设置不被来电静音的重要联系人。

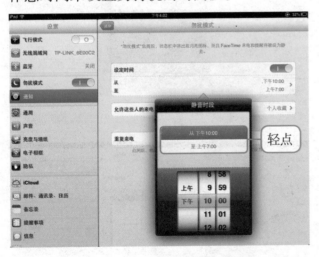

05 若要停用"勿扰模式"，只需在"设置"界面中，轻点关闭"勿扰模式"的开关即可。

AM 08:00　　　88%

張爺爺

> 我琢磨了半天，似乎摸出点儿门道了，可是这也没有我儿子说的那么神奇，可以想干嘛就干嘛啊？

張爺爺

> 而且我也不会什么拼音打字，这要怎么弄啊？

 李奶奶

> 哈哈，老古董，不会拼音，写字总该会吧？

 李奶奶

> 只要你会写字，你就能用好 **iPad**。而且 **iPad** 里的功能真是想什么有什么，不信你试试！

iPad为用户提供了丰富的文字输入法，包括拼音输入法、英文输入法、手写输入法等。下面以备忘录应用程序为例，来进行文字输入操作的介绍。

2.1.1 如何使用手写输入法

对于大多数中老年人来说，手写输入绝对是最佳的选择。iPad的简体手写输入功能非常强大，并且识别率高，因此即使将iPad给不会打字的父母或其他长辈们使用，也不用担心他们会有文字输入的麻烦。

01 轻点主屏幕中的"备忘录"图标，打开备忘录应用程序。接着在备忘录程序界面中轻点，即可显示屏幕键盘。

多学一招

如果弹出的不是"简体手写"键盘，可通过轻点屏幕键盘上的"下一个键盘"键，来进行各种输入法的切换。切换至"简体手写"键盘后，屏幕键盘下方会出现输入法切换的提示。

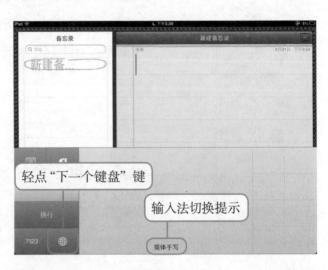

轻点"下一个键盘"键 / 输入法切换提示 / 简体手写

02 在手写输入区中滑动手指书写文字，就像在纸上写字一样。写好后，键盘右侧就会出现识别的文字供用户选择。

03 在所需的文字上轻点，即可完成文字的输入。确认输入后，键盘右侧还会出现联想文字供用户选择输入。

手写输入

确认输入 / 联想文字

04 如果联想文字中没有所需的文字，可以轻点键盘上的"其他"键，切换至另一组联想文字。

05 在联想文字中找到所需的文字后轻点，即可快速完成文字的输入。

06 在书写文字的过程中，若发现输入的文字有误，可随时轻点键盘左侧的"删除"键将其删除。

07 将文字删除后，可继续使用相同的方法手写输入其他文字。在需要输入数字时，可轻点键盘上的"符号与数字"键。

08 在弹出的符号与数字键盘中，轻点所需的数字键，即可输入相应的数字。输入完后，轻点手写输入键即可切换回手写输入状态。

09 输入文字后，当不需要 iPad 提供的联想文字时，可轻点键盘左侧的"停止联想"键，来关闭联想文字。

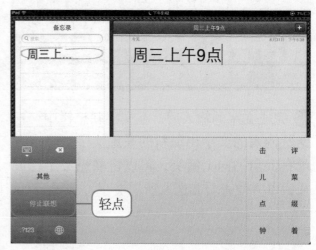

⑩ 关闭联想文字后，"停止联想"键会变为"换行"键。轻点"换行"键，即可将插入点另起一行。

⑪ 完成文字的输入后，轻点键盘上的"浮动键盘"键，即可将键盘隐藏，若想再次打开键盘，在程序界面中轻点即可。

2.1.2 如何使用拼音输入法

对于大多数中老年人来说，使用拼音输入法会比较生疏和困难，但如果了解基础的拼音知识，拼音输入法也是非常简单的。

① 轻点屏幕键盘上的"下一个键盘"键，将输入法切换为"简体拼音"，在键盘的下方也会出现相应的提示。

② 轻点键盘上的字母，就会在键盘上方的文字联想栏中显示出相应的文字，如果有所需的文字，只需轻点即可快速将其输入。

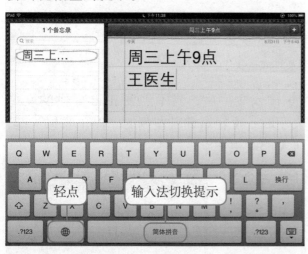

③ 完成文字的输入后，在文字联想栏中会根据所输入的文字出现新的联想文字，轻点键盘右上角的向上箭头，可以将联想文字栏展开，以方便查看和选取所需文字。

④ 在展开的文字栏中，可通过上下滑动文字，来查找所需的文字。如果没有所需的文字可轻点向下箭头关闭文字栏，如果有所需的文字只需轻点即可将其输入。

中老年人学iPad｜看就会（全彩畅销大字图解版）

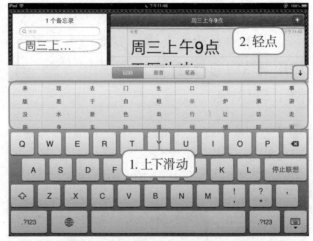

多学一招

在展开的文字联想栏中，为了方便用户能更快地找到自己所需的文字，iPad为用户提供了三种查找方法，分别是词频（词组出现的频率）、部首（所需文字的部首）和笔画（所需文字的总笔画），非常适合中老年人按照自己的输入习惯来查找所需要的文字。

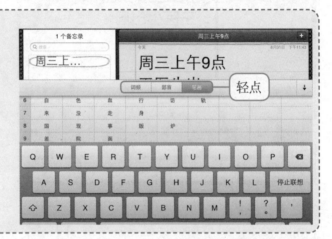

05 若想输入键盘上的上排标点符号，如感叹号，可先轻点键盘上的 Shift 键，这时 Shift 键就会变为蓝色的实心箭头。

06 轻点所需的标点符号键，即可将其显示的上排标点符号输入。如果只是想输入下排的标点符号，直接轻点相应的键即可。

多学一招

其他按键的功能如"删除"键、"换行"键等，与使用手写输入法时相同，此些不再介绍。

对于中老年人来说，英文输入法多在上网输入网址时使用，这种输入法跟我们平时使用电脑时通过键盘输入的操作方法一样，只是在进行字母大小写的切换时，需要配合使用 Shift 键。

01 轻点屏幕键盘上的"下一个键盘"键，即可快速切换至英文输入状态，屏幕键盘的"空格"键上会出现相应的切换提示。

02 若想首字母输入英文大写，先轻点屏幕键盘上的 Shift 键，使其按键上的小箭头呈实心蓝色显示。

多学一招

Shift 键，也叫上档转换键，不仅可用于英文大小写的切换，而且还可用于标点符号的选取。不过，在使用台式电脑进行操作时，Shift 键多用于进行中英文的切换。

03 轻点屏幕键盘上的字母键，即可输入相应的大写字母。输入后 Shift 键恢复至原始的空心箭头状态。

04 继续轻点屏幕键盘上的字母键，即可轻松完成其他英文字母的输入。此时，其他字母均以小写状态输入。

05 轻点屏幕键盘上的空格键，即可输入一个空格符。

06 依照相同的方法输入其他英文单词后，轻点 return 键，即可换行。

中老年人学iPad 1看就会（全彩畅销大字图解版）

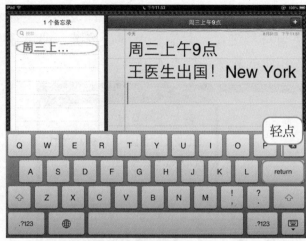

07 若想使输入的英文字母全部都是大写，只需先连续轻点 Shift 键两次，使其整个呈蓝色显示。

08 轻点屏幕键盘上的字母键，即可连续输入大写字母。若想停止大写字母的输入，只需再次轻点 Shift 键使其恢复原始状态即可。

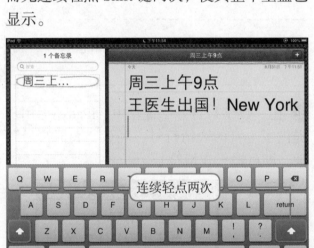

2.1.4 如何输入数字和标点符号

iPad 为用户提供了丰富的标点和符号的输入，各种输入法与数字和标点符号输入间的切换也非常便捷。

01 在屏幕键盘上轻点标点符号键，即可按照前面所介绍的方法快速输入常用的标点符号或数字。如果想输入更多的数字和其他标点符号，可在任意输入法状态下，轻点"数字与符号"键。

02 轻点"数字与符号"键后，即可切换至数字与符号键盘，只需轻点键盘按键，即可输入相应的数字、标点或符号。

03 输入所需的符号后，在数字与符号键盘中，轻点"展开符号"键，还可显示更多的运算符与符号键。

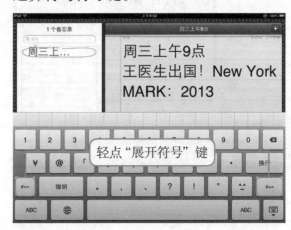

多学一招

iPad 的标点符号输入非常智能，在步骤 2 中如果输入的是代表结束的标点，如感叹号、句号等，键盘将自动切换回输入法键盘。

04 在展开的键盘中，轻点按键即可输入所需的字符。轻点"数字切换"键，则可再次切换回"数字与符号"键盘。

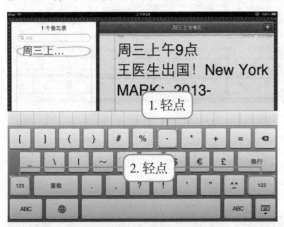

05 在"数字与符号"键盘中，iPad还为用户提供了丰富的表情符号，轻点"表情符号"键，即可输入表情符号。

06 表情符号的输入与文字的输入方法相同，在联想栏中同样会出现很多相似的表情符号供用户选择，轻点即可将其输入。若轻按键盘上的"选定"键，则会默认输入联想栏中的第一个表情符号。

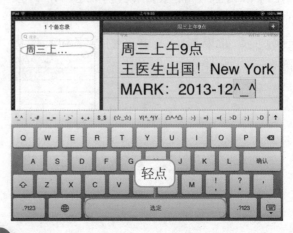

2.1.5 如何对输入的文本进行编辑

使用 iPad 可以非常方便地进行文本的编辑与交互，包括文本的选择、复制、粘贴及剪切等，并且文本的编辑与交互操作，在 iPad 中几乎所有涉及到文本的应用程序中都一并适用，如 iBooks 等。下面还是以"备忘录"应用程序为例，详细介绍文本的编辑操作。

01 在任意文本中长按屏幕，直到出现放大镜。移动手指，放大镜也会跟着移动并放大显示相应的文字，同时 iPad 会自动识别词组并以蓝色底纹高亮显示，表示将其选中。

02 松开手指，会弹出文本编辑快捷菜单。若轻点"全选"选项，则将屏幕中显示的所有文本全部选中，否则就是选中 iPad 自动识别的词组。

03 若想自定选择区域，可通过拖动被选文本两端的控制柄来调整所选文字范围。

04 调整好后，轻点被选中文本上方弹出的快捷菜单中的"拷贝"选项，复制被选中文字。

05 在备忘录中轻点，打开键盘，轻点键盘上的"换行"键将插入点置于要粘贴所复制文本的位置，然后轻点屏幕，再次弹出快捷菜单。

06 在快捷菜单中轻点"粘贴"选项，即可在插入点所处位置粘贴所复制的文本。

轻点屏幕弹出快捷菜单

粘贴文本

多学一招

在备忘录中轻点，打开屏幕键盘，轻点屏幕弹出快捷菜单，使用"选择"选项选中文本后再次轻点屏幕所弹出的快捷菜单中的命令会发生变化。"剪切"、"拷贝"和"粘贴"命令的功能跟使用电脑编辑文档的用法相同，"剪切"和"拷贝"命令的区别在于将文本复制到剪贴板的同时，一个不保留原选中的文本，一个保留；而"替换"命令的功能则是将所选文本替换为其他文本。

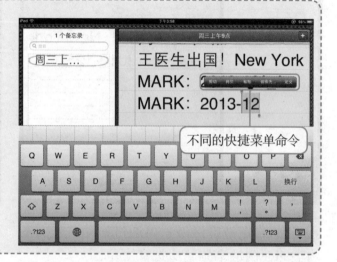

不同的快捷菜单命令

多学一招

在文本中输入的连串数字，在隐藏键盘后会变为带有下划线的红色文本，iPad会自动将其识别为是电话号码之类的数据信息，在这样的文本上轻点，即会弹出联系人的编辑快捷菜单，可快速进行添加到通讯录和拷贝的操作。

编辑数字

2.2 使用 iTunes 体验海量应用程序的乐趣

使用 iTunes 可以将音乐组成播放清单、播放各种视频、访问 iTunes Store，以及将用户电脑中的音乐、应用程序、通讯录、图书、照片等通过 iTunes 同步到 iPad 中。

2.2.1 什么是 iTunes

iTunes 是一款数字媒体播放应用程序，用于播放和管理数字音乐与视频档案，以及用户的各种苹果应用程序和资料。此外，iTunes 还能连接到 iTunes Store，以便进行数字音乐、音乐视频、电视节目、电子书、应用程序、各种 Podcast 以及标准长片的下载和购买。iTunes 的应用程序界面如下图所示。

iTunes 本身就是一个非常棒的音乐播放器和视频播放器，支持的音乐和视频格式非常广泛。如下图所示，就是直接使用 iTunes 的播客观看视频的效果。

多学一招

用户可以在苹果公司的官方网站上（http：www.apple.com.cn），找到并下载最新版本的 iTunes。

2.2.2 如何安装 iTunes

下载好 iTunes 的安装文件后，就可以将其安装在自己的电脑中，以方便自己进行苹果产品的管理和应用程序的下载。

01 双击下载好的 iTunes 安装文件。

02 在弹出的对话框中单击"下一步"按钮。

03 设置安装选项和 iTunes 的默认语言，然后单击"更改"按钮。

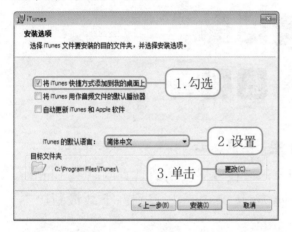

04 在弹出的对话框中，按自己的要求设置 iTunes 的安装路径，然后单击"确定"按钮。

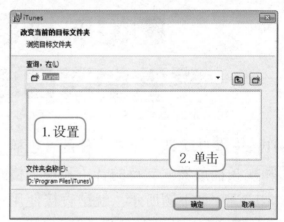

05 返回安装选项对话框，单击"安装"按钮开始安装 iTunes。

06 这时，可以看到 iTunes 的安装进度（单击"取消"按钮可取消安装）。

⓻ 安装完后，单击"结束"按钮。若勾选复选框，则会在安装结束后直接运行 iTunes。

⓼ 在弹出的对话框中单击"同意"按钮，即可启动 iTunes。

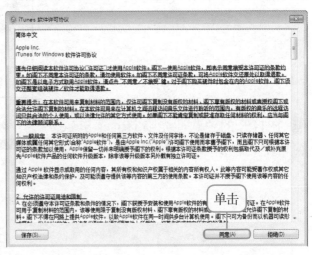

2.2.3 如何注册 iTunes 账户

　　iTunes 账户就是我们常说的 Apple ID，主要用于在苹果商店中进行各种资源的下载和更新，如应用程序、视频、音乐和电子书等。如果没有 Apple ID，这些应用都将无法下载和更新，所以不管使用任何苹果产品，Apple ID 都是必不可少的。

⓵ 在电脑中运行 iTunes 应用程序，在窗口右上角的选项栏中单击 iTunes Store 按钮，使用 iTunes 访问 iTunes Store。

⓶ 在打开的 iTunes Store 窗口中，单击窗口左上角选项栏中的"登录"按钮。

中老年人学iPad | 看就会（全彩畅销大字图解版）

03 在弹出的iTunes对话框中，单击"创建Apple ID"按钮。

04 在打开的"欢迎光临 iTunes Store"窗口中，单击"继续"按钮。

05 在打开的"条款与条件以及Apple的隐私政策"窗口中，勾选"我已阅读并同意以上条款和条件"复选框，然后单击"同意"按钮。

06 在打开的"提供Apple ID详情"窗口中，要认真填写并牢记自己的个人信息。填写好后单击"继续"按钮。

07 在"提供付款方式"的"付款方式"选项中，根据实际情况选择付款方式，在此选择"银行卡"。认真填写完其他账户信息后，单击"创建Apple ID"按钮。

多学一招

到此就完成了Apple ID的注册，Apple会发一封验证邮件到用户注册时填写的邮箱中。单击邮箱中验证邮件的链接，即可完成账户的注册。

2.2.4 如何使用 iTunes 获取更多应用程序

在 iTunes Store 中，你几乎可以找到任何你想要的，如音乐、电影、游戏、应用程序及电子书等。下面介绍使用 iTunes Store 下载应用程序的操作步骤。

01 在电脑中，使用安装好的 iTunes 访问 iTunes Store，并找到想要的应用程序。在此，以下载"涂鸦填色"应用程序为例，单击该应用程序图标。

02 在打开的应用程序介绍与下载界面中，单击程序图标下方的"免费"按钮。

中老年人学iPad｜看就会（全彩畅销大字图解版）

03 在弹出的iTunes对话框中，输入之前注册的Apple ID账户和密码，然后单击"获取"按钮。

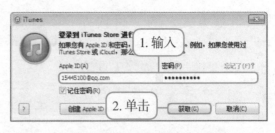

04 这时，就可以在iTunes程序界面的顶部看到该应用程序正在下载的进度条。程序图标下方的"免费"按钮则显示为"正在下载"。

05 单击窗口右上角的"下载"按钮，可以在弹出的"下载"窗口中，查看到详细程序下载的信息，包括程序名称、大小及下载剩余时间等。

06 下载完成后，单击窗口右上角的"资料库"按钮，在打开的窗口中，单击左上角的"音乐"按钮。

07 在弹出的"资料库"下拉列表中单击"应用程序"选项。

08 切换到"应用程序"窗口后，即可查看到所下载的应用程序。

应用程序图标

多学一招

若想要查找和下载更多的应用程序，单击窗口下方的"获得更多应用程序"按钮即可。

2.2.5 如何使用 iTunes 同步应用程序

使用iTunes在不连接iPad的情况下，可以直接从iTunes Store中下载所需的应用程序，但光下载没有用，还需要安装到iPad上才可以使用，这就需要将所下载的应用程序同步传输到iPad中。

01 将iPad与电脑连接，此时，在iTunes窗口的右上角会出现iPad按钮，单击该按钮。

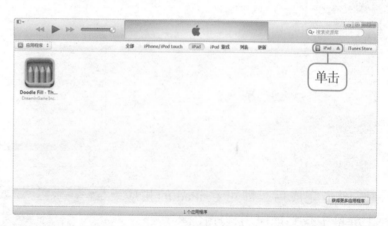

单击

02 在打开的窗口中，单击"应用程序"按钮，找到刚刚下载的应用程序。

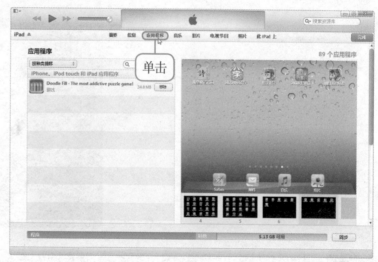

单击

多学一招

窗口中显示的iPad屏幕，就是我们自己的iPad屏幕，上面显示了用户安装的应用程序的情况，下方则多为iPad各主屏幕界面的情况。

03 单击选中所下载的应用程序，然后将其拖曳至右侧的 iPad 屏幕中。

多学一招

也可以直接选中所下载的应用程序后，单击窗口右下角的"同步"按钮进行同步。

04 拖入后单击右下角的"应用"按钮，即可将该应用程序同步到 iPad 指定的主屏幕中。

05 同步完成后，即可在 iPad 的相应主屏幕中找到该应用程序图标。

2.2.6 如何使用 iTunes 调整与删除应用程序

使用 iTunes 不仅可以非常便捷地将下载的应用程序同步到 iPad 中，而且还可以对 iPad 中的应用程序进行调整和删除。

01 将 iPad 与电脑连接，运行 iTunes 打开 iPad 应用程序窗口。单击 iPad 主屏幕下方的缩览图，打开要调整图标的主屏幕界面。

02 在 iPad 主屏幕窗口中，单击并拖动应用程序图标至页面中的任意位置后松开鼠标左键，即可调整其在主屏幕中的位置和顺序。

03 若想将应用程序图标挪至其他主屏幕页面，只需将图标拖至下方的主屏幕缩览图中后，松开鼠标左键即可。

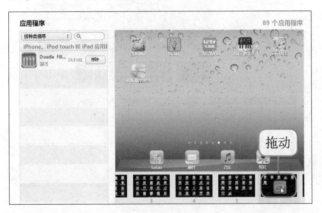

04 若想删除应用程序，只需将光标放置在应用程序图标上，待出现黑色的 ⊗ 后，单击黑色 ⊗ 即可将其删除。

05 将应用程序图标拖曳至与另一个应用程序图标重合，即可将它们放置在同一个文件夹中。

06 单击文件夹文本框并输入文字，可为文件夹重命名。

07 单击屏幕任意位置，即可完成文件夹的编辑，若想打开，双击文件夹图标即可。

08 把文件夹中的应用程序图标全部拖出后，文件夹将自动消失。

09 若想调整 iPad 主屏幕页面的顺序，只需单击并拖曳想要调整顺序的主屏幕缩览图至所需位置即可。

10 调整完后，单击iTunes窗口右下角的"应用"按钮，将所做的修改同步到iPad中即可。

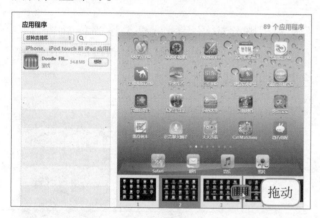

多学一招

同步完后，iPad中显示的主屏幕顺序和图标位置将和在iTunes中看到的一样。

2.3 使用 App Store下载应用程序

　　iPad 中自带的 App Store 程序就如同一个程序程序的超级商店，里面拥有各种各样的应用程序和游戏，而且有大量的程序和游戏都是免费的。

2.3.1 什么是 App Store

　　App Store 即 Apple Store，跟 iTunes Store 一样，是内置在 iPad 中的苹果应用程序商店，方便用户随时随地下载和安装喜欢的应用程序。

01 在主屏幕中轻点 App Store 应用程序图标，等待程序载入，首次载入时间可能较长。

02 默认显示的是"精品聚焦"页面，所展示的内容是新产品内容。

③ 轻点菜单栏中的按钮，在弹出的下拉列表中轻点类别名称，即可查找相应类别的程序。

④ 轻点屏幕下方的 Genius 按钮，首次进入要求打开 Genius，轻点"打开 Genius"选项。

⑤ 弹出协议条款，轻点"同意"按钮，同意条款要求才可继续。

⑥ 在弹出的信息确认对话框中，轻点"同意"按钮。

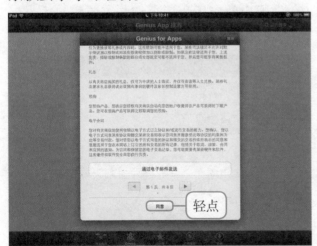

⑦ 打开 Genius 页面，这里会根据 iPad 上已经安装的程序来推荐其他类似的程序。

⑧ 轻点页面下方的"排行榜"按钮，可以看到当前最多人购买的程序。

⓽ 轻点屏幕下方的"已购项目"按钮，可以看到自己购买过的所有程序（包括曾经在iPad上安装过，后来删除的程序）。

2.3.2 如何使用 App Store 快速下载安装程序

使用 iPad 内置的 App Store 下载和安装应用程序，只需三步即可快速完成，即使是中老年人自己操作也可快速上手。

⓵ 轻点 App Store 应用程序图标，打开 iPad 内置的程序商店，轻点想要安装的程序图标。

⓶ 在弹出的应用程序介绍与安装窗口中，轻点"免费"按钮。

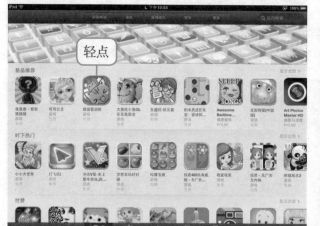

中老年人学iPad | 看就会（全彩畅销大字图解版）

03 此时，"免费"按钮会变为绿色的"安装App"按钮，轻点该绿色按钮。

04 程序图标下方会出现蓝色进度条，表示该应用程序正在被下载和安装。

05 安装完成后，轻点灰色的"打开"按钮，即可运行该应用程序。

06 安装完成后，在iPad的主屏幕上，也会出现相应的应用程序图标。

2.3.3 如何使用 App Store 搜索和筛选应用程序

使用 App Store 的搜索功能，可以更加轻松、快速地找到自己所需的应用程序。

01 轻点 App Store 右上角的搜索栏，输入要搜索的关键字，轻点"搜索"按钮。

02 搜索完成后，在页面中将会显示出所有跟搜索关键词相关的应用程序。

03 轻点"价格"下拉列表中的"免费"选项，将按价格筛选 App，只显示出免费的程序。

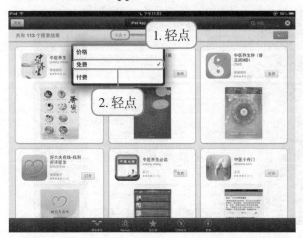

04 轻点"所有类别"下拉列表中的选项，即可按类别筛选所需的应用程序。

05 轻点"关联"下拉列表中的选项，即可按人气、评分或发布日期来筛选自己喜欢的应用程序。

多学一招

在按条件对应用程序进行筛选时，在窗口左上角可以看到具体的符合条件的搜索结果数量。

2.3.4 如何快速更新 App 应用程序

应用程序开发者为了使用户能够得到更好的使用体验，会不定期地对程序进行升级，这就需要我们时常对自己 iPad 上旧版本的程序进行更新，来获得更好的使用体验。

01 当 iPad 上有可以升级的应用程序时，App Store 图标右上角会出现可升级的程序数。

02 打开 App Store，在"更新"页面中轻点可升级程序右侧的"更新"按钮即可。

中老年人学 iPad 1 看就会（全彩畅销大字图解版）

2.4 程序整理也不难

在 iPad 中安装的程序多了，程序图标就会遍布屏幕，如果不对其进行整理，会感觉非常凌乱。除了前面介绍的可以使用 iTunes 对程序和图标进行管理外，在 iPad 上也可以非常快速、直接地进行相关操作。

2.4.1 如何调整图标的位置

01 在主屏幕上按住任何一个图标两秒，图标会开始抖动，并在左上角出现一个黑色 ⊗。

02 轻点并拖曳程序图标，即可随意调整程序图标的位置和顺序。

03 如果想将程序图标拖曳到其他屏幕页面上，只需先将图标拖曳到屏幕边缘，此时，主屏幕会自动转页。

04 跳转至所需的主屏幕页面后，释放图标即可。完成程序图标的调整后，按一下主屏幕按钮完成操作。

多学一招

在调整和拖曳应用程序的图标时，注意不要点到程序图标左上角的黑色删除按钮 ⊗，以免误删了应用程序。

2.4.2 如何使用文件夹管理程序图标

在iPad上使用文件夹管理程序图标的操作，与在iTunes上的操作基本相同。

01 拖曳一个图标到另外一个图标上与其重合，就可以创建出一个文件夹。

02 根据需要可对文件夹名称进行修改，修改好后按主屏幕按钮完成。

03 轻点文件夹以外的区域，可关闭文件夹，若想再次打开，需连续轻点文件夹两次。

多学一招

若想删除文件夹，只需在编辑状态下将文件夹里的应用程序图标全部拖出即可。

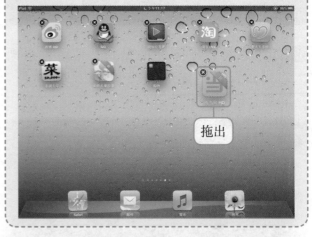

2.4.3 如何删除程序

若想直接删除iPad上的应用程序，只需按住程序图标进入编辑状态，然后再轻点程序图标左上角的黑色 ⊗，在弹出的对话框中轻点"删除"按钮，即可将该程序删除。最后按下主屏幕按钮，即可退出图标编辑状态。

Chapter 03　日常生活应用多

 张爷爷

> 这年纪大了啊，总好忘事，有时候连药都会忘了吃。

 张爷爷

> 这人老了啊，就真是不中用咯！

> 你啊你啊，我就是不爱听你们说什么老啊老的话，人老不老啊，关键还是要看心态！

 李奶奶

> 你儿子不是给你买了 iPad 吗？让它提醒你吃药，让它帮你记事，让它帮你指路！

 李奶奶

3.1 iPad 的备忘录用处大

中老年朋友都会遇到同样的问题，那就是变得越来越容易忘事儿，所以经常不得不把要做的事记在小本子上，但有时候甚至连小本子放哪儿都不记得了。这时，就可以使用 iPad 的备忘录了。

3.1.1 如何新建备忘录

iPad 内置有功能强大的备忘录，就像可随身携带的笔记本一样，能够方便用户随时记录日常生活中的大小事。

01 轻点主屏幕中的"备忘录"应用程序图标，即可运行该程序。

02 默认打开一个新的备忘录，轻点内容栏可使用弹出的键盘编辑内容。如果之前曾使用过，则打开之前的备忘录。

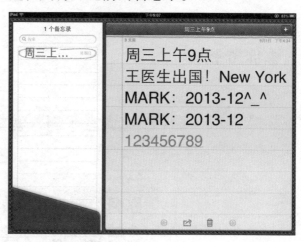

03 轻点右上角的新建按钮，即可新建一个备忘录，使用弹出的键盘可输入内容。

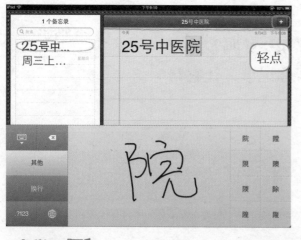

04 输入完成后关闭屏幕键盘，即可完成备忘录的新建。

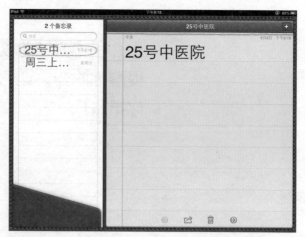

多学一招

新建好的备忘录的头几个字，会被作为该备忘录的名称保存在屏幕左侧的搜索列表中，方便用户在保存了多个备忘录后进行查看。

3.1.2 如何查看、搜索已有的备忘录

使用 iPad 查看备忘录，比使用记事本一页一页地翻找查看要方便得多，实在找不到还可以使用 iPad 的搜索功能进行查找。

01 在备忘录的搜索列表中轻点备忘录的名称，即可打开并查看相应的备忘录。

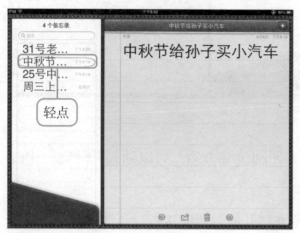

02 若通过名称不方便查看，可在搜索栏中输入关键字进行搜索。

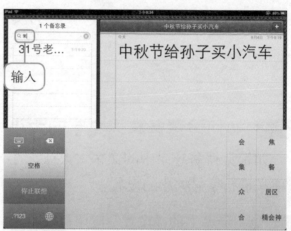

03 轻点搜索栏中的搜索结果，即可快速查看到该备忘录内容。

多学一招

为了方便备忘录的查看和查找，在新建备忘录时，可以以时间和日期开头，来作为备忘录的名称。

3.1.3 如何删除无用的备忘录

定期删除没有用的备忘录，可以更加方便备忘录的查找。

01 在左侧的备忘录列表中轻点，打开需要删除的备忘录，然后轻点备忘录下方的垃圾桶图标。

02 轻点弹出的"删除备忘录"按钮，即可将该备忘录删除。备忘录一旦被删除就无法再找回。

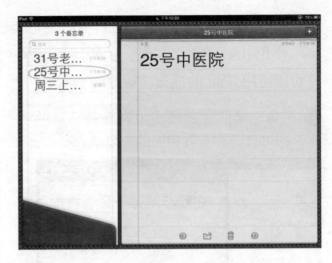

3.1.4 如何设置备忘录文字的大小

如果觉得备忘录中的文字太大或太小，不方便阅读和查看，可以通过"设置"中的选项来进行字号大小的设置。

01 轻点主屏幕上的"设置"应用程序图标，然后轻点"通用 > 辅助功能"选项。

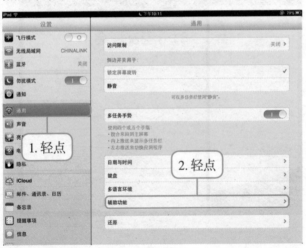

02 在打开的"辅助功能"设置界面中，轻点"大文本"选项。

03 在打开的"大文本"设置界面中，轻点所需的字号大小即可。

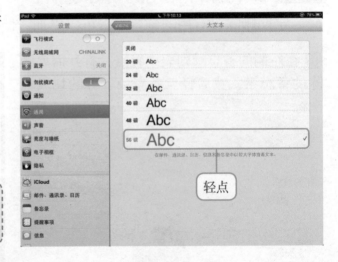

多学一招

在此进行的文本字号大小的设置操作方法，也同样适用于后面要介绍的通讯录程序。

iPad 不仅可以使中老年人更加方便地存储备忘录，而且还可以存储常用联系人，这样就不用再在要打电话时戴着老花镜匆忙地翻找电话号码本了。

3.2.1 如何将儿子的信息添加至通讯录

iPad 可以存储非常丰富的联系人信息，包括电话、住址、QQ、电子邮件等。

① 轻点主屏幕中的"通讯录"应用程序图标运行程序。

② 轻点程序界面下方的 + 按钮。

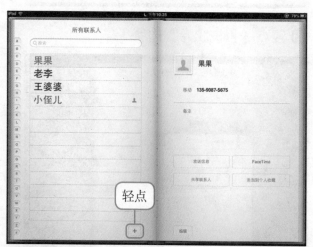

③ 分别在对应的文件框中输入联系人的姓、名、移动电话号等信息。除此之外，还可为联系人设置铃声和添加备注等，完成后轻点"完成"按钮，即可完成联系人的新建。

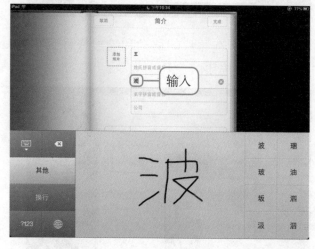

3.2.2 如何为联系人设置照片

在通讯录中，可以为联系人设置照片头像，这样不仅可以使联系人信息更加生动，也更容易辨别和查找。

① 设置好的联系人信息会显示在所有联系人列表中，轻点联系人，即可显示其资料信息。然后轻点"编辑"按钮。

② 轻点"添加照片"图标，在弹出的菜单中轻点"选取照片"按钮。设置头像的操作，也可以在新建联系人时完成。

中老年人学iPad一看就会（全彩畅销大字图解版）

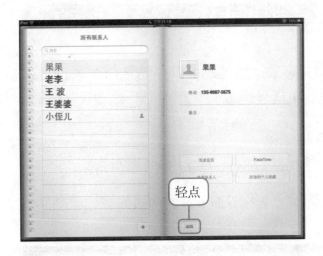

03 轻点"相机胶卷"选项。

05 完成对所选照片的移动和缩放操作后，轻点"使用"按钮。

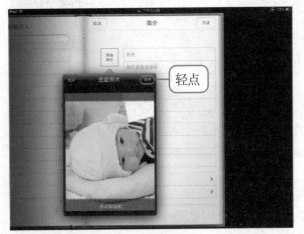

04 轻点选择所需的照片。

06 轻点"完成"按钮，即可完成对联系人头像的设置。

多学一招

如果在设置联系人头像时，选择的是"拍照"选项，即可用iPad的前置或后置摄像头来进行拍照，拍完后轻点"使用照片"按钮进行设置即可。轻点步骤06中的头像照片，还可继续对照片进行重设、编辑和删除等操作。

3.2.3 如何编辑老友的联系人信息

当朋友的电话或地址更换时，也可以随时在 iPad 上进行更新。

01 轻点要编辑的联系人名称，然后轻点"编辑"按钮。

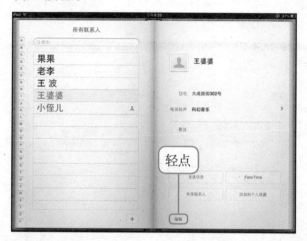

02 打开联系人的信息界面，在要修改的栏目中轻点一下，即可对其进行修改。

03 若要删除某条信息，只需先轻点左侧的 − 按钮，再轻点"删除"按钮即可。

04 信息栏左侧没有 − 图标的是不能删除的，轻点绿色的 + 按钮。

05 可在展开的栏目中输入更多信息。

06 轻点"完成"按钮完成联系人资料编辑。

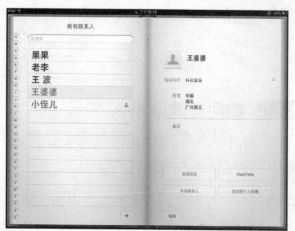

3.2.4 如何查看与搜索联系人

当 iPad 中存入的联系人比较多时，查找起来就会不太方便，这时候可以用联系人程序的快速查看和搜索功能进行查找。

01 当所存联系人超过 5 个人时，联系人列表会按照首字母顺序进行排列。

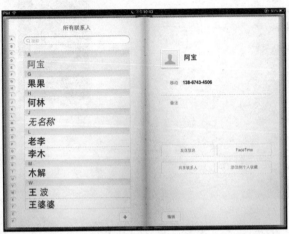

02 轻点列表中的联系人姓名，通讯录右侧即会显示相关信息。

03 轻点列表左侧的字母，可以快速定位到以该字母为姓氏首字母的联系人。

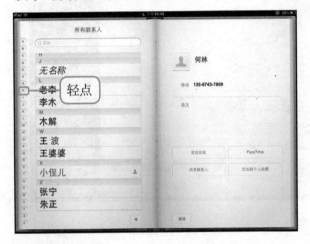

04 若要通过搜索栏来搜索联系人，只需在其中输入文字，相关联系人就会被显示出来。

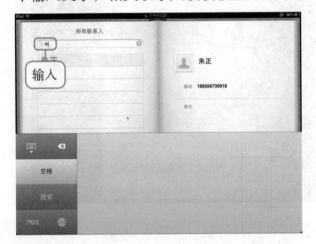

多学一招

当在搜索栏中输入文字后，若想快速删除所写的文字，只需轻点搜索栏右侧的灰色 ⊗ 按钮，即可快速将搜索栏中的所有文字全部删除。

3.2.5 如何删除联系人

当联系人的信息已经更换或是存储的信息无效时，就需要对其进行清理和删除，这样可以避免联系人信息过于杂乱。

01 轻点打开要删除的联系人信息界面，然后轻点"编辑"按钮。

02 在打开的联系人简介界面的下方轻点"删除联系人"按钮。

03 在弹出的"删除联系人"确认窗口中，轻点"删除"按钮。

04 完成操作后，该联系人的所有信息都将被彻底删除。

多学一招

在联系人简介界面中，分别有移动电话号码和iPhone电话号码两个存储项。如果所存储联系人使用的是iPhone手机，应该将其号码存在iPhone电话栏里，这样就可以方便地与对方进行FaceTime视频通话。

3.3 日历提醒很方便

日历提醒功能可以帮助我们，尤其是中老年人设置重要日程提醒。我们只需提前在iPad中记录和安排好重要的待办事项和行程，到了预定的时间 iPad 就会提醒，这样就不用担心错过和忘记该办的事情了。

3.3.1 如何添加老伴的生日提醒事件

老伴儿年年都记得我的生日，但是我记性不好，总是会忘记老伴儿的生日。老伴儿为我为这个家辛苦了大半辈子，这次我一定要给她过一个最难忘的生日。

01 轻点主屏幕中的"日历"应用程序图标，运行日历程序。

02 首次打开日历程序，没有任何事件，轻点右下角的 + 按钮。

03 在弹出的"添加事件"控件中，输入事件名称，然后轻点"开始结束"选项。

04 在弹出的"开始与结束"控件中，通过拖动下方的时间滑轮来设置开始时间。

05 轻点"结束"选项，使用相同的方法设置事件提醒的结束时间。

多学一招

如果打开了"全天"选项的开关，则会自动将该事件设置成为全天事件。

06 在"开始与结束"控件中轻点"完成"按钮，返回"添加事件"控件。轻点"重复"选项，可设置事件的重复周期。

07 在弹出的"重复"控件中，轻点"每天"选项，表示以天为单位进行事件的重复提醒。设置好后，轻点"完成"按钮。

08 返回"添加事件"控件,出现"结束重复"选项。依照相同的方法,可设置事件结束重复的时间。轻点"提醒"选项。

09 在弹出的"事件提醒"控件中,可设置具体的事件提醒时间。设置好后,轻点"完成"按钮。

10 轻点备注文本框,可对事件进行补充说明,最后轻点"完成"按钮。

11 完成后,在日历的下方会显示事件的详细信息,并以高亮显示事件的持续时间。

多学一招

当设置了事件提醒后,到时iPad会以弹出提示窗口和发出提示音的方式来进行提醒。像每天定时的量血压、吃药等重复事件的提醒,都可以使用相同的方法来进行设置。

3.3.2 如何查看日历事件

日历程序为我们提供了5种查看日历事件的方式，分别是日、周、月、年和列表，用户可随意进行选择和切换。

01 日历默认状态下是以日为单位显示的，并显示当天的日期和记录的事件。

02 直接在左侧的日历表中轻点日期，即可快速跳转至相应的日期界面。

03 拖动下方的导航条，也可翻阅到对应的日期界面。

04 在日历界面的上方轻点"周"按钮，可以使日历以周视图的方式显示。

05 轻点"月"按钮，可以使用月视图来查看日历。按月显示时，可以看到当前月所有日期对应的事件。

多学一招

在每种视图的下方，均可通过轻点"今天"按钮回到今天所在的日期；轻点左右三角形按钮，则逐个向前或向后跳转；轻点+按钮，则新建事件。

06 轻点日期或事件，会弹出显示事件详细信息的小标签。轻点屏幕其他区域，即可将事件信息关闭。

07 在日历界面的上方轻点"年"按钮，可以使用年视图来查看日历。当年中所有的日历事件均会被显示出来。

多学一招

在年日历视图中，高亮显示的日期表示该日期中记录有事件。轻点日期，即会用日视图的方式显示日期和事件。

08 在日历界面的上方轻点"列表"按钮，会以列表的形式显示所有记录的事件，轻点事件名称，即可查看事件的详细信息。

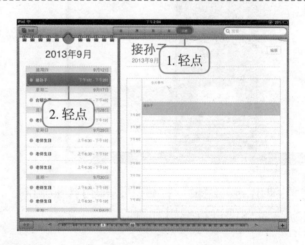

3.3.3 如何修改和删除单一事件提醒

无论在哪种视图下，都可以很方便地对所记录的事件进行修改和删除。

01 在日视图中轻点事件名称，即可打开事件"编辑"控件，按照前面所介绍的方法对事件进行编辑和修改。

中老年人学iPad 1看就会（全彩畅销大字图解版）

02 修改完成后，轻点"编辑"控件右上角的"完成"按钮将其保存即可。

03 如果要删除事件，则在事件"编辑"控件的下方轻点"删除事件"按钮。

04 在弹出的确认对话框中，继续轻点"删除事件"按钮，即可将该事件删除。删除后将无法恢复。

05 如果是在周视图方式下对事件进行编辑和删除，需要先轻点事件名称，然后轻点"编辑"按钮。

06 在弹出的"编辑"控件中，即可按照相同的方法对事件进行编辑和删除。

多学一招

在编辑事件时，可直接通过拖动事件控制柄来调整事件的开始与结束时间。

多学一招

月视图与年视图方式下的操作基本相同，在此不再一一赘述。

3.3.4 如何修改和删除重复事件提醒

　　对于重复事件的修改与删除操作，与单一事件相比略有不同，但操作流程基本上一样，在此仅以日试图方式下的操作为例进行介绍即可。

01 在日视图中轻点打开一个重复事件，编辑完成后轻点"完成"按钮。

02 在弹出的确认对话框中，轻点相应按钮，即可对事件进行不同方式的保存。

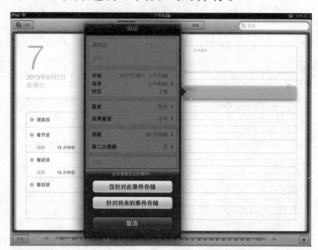

多学一招

若轻点"仅针对此事件存储"按钮，则表示将对事件所做的修改只应用于当前打开的这个重复事件中；若轻点"针对将来的事件存储"按钮，则将对事件所做的修改应用于这一事件的当前和之后的所有重复事件中。

03 若是打开重复的事件后轻点"删除事件"按钮。

04 也会弹出不同的删除确认按钮，轻点即可按照所选方式删除事件。

多学一招

若轻点"仅删除此事件"按钮，则表示只删除当前打开的这一个重复事件；若轻点"删除将来所有事件"按钮，则表示对当前打开的重复事件和这一事件之后的所有重复事件全部删除。

iPad 自带的"地图"应用程序，为用户提供了便捷的地图查看、地点搜索与路线查询等功能，让我们可以不用再为找不到地方而发愁了。

3.4.1 如何查看地图

使用 iPad 的电子地图，可以非常方便地进行地图的查看，通过简单的手势即可完成相应操作，再也不用戴着老花镜拿着放大镜在地图上慢慢地找了。

01 轻点主屏幕上的"地图"应用程序图标。

02 连续轻点屏幕两次，可放大显示地图。

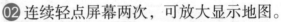
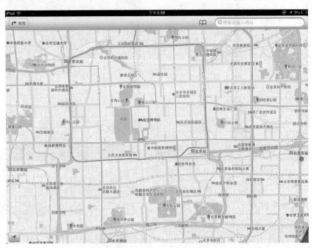

多学一招

用户除了可以通过使用连续轻点的方式放大地图外，还可以通过使用两根手指在屏幕上来回捏合来放大和缩小地图。用一根手指在地图上来回轻点并拖动，可以拖动地图查看到地图上的不同区域。

03 若要查看具体位置，可先在搜索栏中输入地点，然后轻点"搜索"按钮。

04 搜索完成后，会将与搜索词相关的所有结果都以红色大头针的形式标注在地图上。

中老年人学iPad 1看就会（全彩畅销大字图解版）

05 与搜索结果最相近的大头针上方显示有一个标签，轻点标签上的"信息"按钮，可查看到该地址的详细信息。

06 轻点屏幕上的其他区域即可关闭详细信息。若要查看其他搜索结果，只需先轻点大头针，然后再轻点"信息"按钮即可。

多学一招

在地址的详细信息控件中，顶部为所选地址的3D地图；轻点"电话"选项将以FaceTime的形式与该号码通话；轻点"首页"选项，将打开该地址对应的网址，如右图所示。

3.4.2 如何查找出行路线

掌握了地图的查看方法，下面就可以使用地图来进行导航了。其操作方法非常简单，用户只需先确定起点和终点的位置，然后选择一种适合的导航方式即可。

01 在上节所介绍的大头针地址详细信息控件中，可以将该地址设为导航路线的起点或是终点，也可以直接在屏幕上方轻点"路线"按钮。

02 在弹出的线路控件中，分别输入起点和终点的地址。默认的起点位置为用户实际所在的位置，若不想将起点设置为"当前位置"，则轻点右侧的删除按钮。

03 输入好起点和终点的地址后，轻点控件顶部的按钮，可以设置导航方式为驾车、步行或乘坐汽车。轻点调换按钮可以调换起点与终点位置，确认后轻点"路线"按钮。

04 经过查找后，iPad 地图会为用户提供三条最佳行车路线，供用户查看。

05 想以哪条路线作为行车导航路线，就直接轻点选中该路线，然后再轻点"开始"按钮。

06 iPad 地图就会以用户设置的交通工具和选择的出行线路进行导航。在行驶过程中，会分段进行路线的提示，用户只需跟着导航提示，就可以顺利到达目的地。

轻点地图右下角的当前位置按钮，可快速锁定用户在地图上的实际位置。

Chapter 04 照片视频随我拍

 张爷爷

> 用着用着，发现这个iPad真是方便啊，操作简便、上手快、功能也多，我现在越来越喜欢儿子给我买的这个iPad了。

 张爷爷

> 不过老李啊，它的这个摄像头怎么拍照片啊？

 李奶奶

> 基本的操作和应用你都学会了，那这个拍照就更容易学了。

 李奶奶
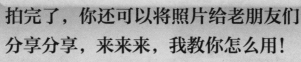

> 拍完了，你还可以将照片给老朋友们分享分享，来来来，我教你怎么用！

使用iPad内置的相机程序可以非常方便地拍照或者拍摄视频。其操作方法非常简单，极易掌握。本节就带你进入iPad的影像世界。

4.1.1 如何使用 iPad 拍摄自己的生活

iPad 的后置和前置摄像头都可以用来进行拍照和视频录制操作，无论是拍摄自己喜欢的事物，还是进行自拍或儿女们分享自己的生活都一样方便。

01 轻点主屏幕上的"相机"应用程序图标，即可运行相机程序。

02 在屏幕上轻点会出现对焦点，iPad 将会根据用户所点的位置进行自动对焦。

03 完成对焦后，轻点拍摄按钮，即可拍摄照片。同时所拍摄照片的缩略图会显示在窗口的左下角。轻点"选项"按钮。

04 打开弹出的"网格"选项开关，可在拍照时显示网格，帮助我们进行画面构图。轻点"完成"按钮，关闭"网格"选项。

多学一招

轻点步骤03中右下角所拍摄的照片缩览图，即可实时查看所拍摄的照片效果。若想返回相机程序继续拍摄，只需轻点屏幕，出现编辑菜单后，轻点"完成"按钮，即可快速切换回相机程序。

中老年人学iPad 1看就会（全彩畅销大字图解版）

⑤ 将屏幕右下角的相机滑块拖曳至摄像机位置，即可将相机功能切换为摄像机功能。

⑥ 轻点录制按钮，红灯亮起，表示视频录制开始，右上角同时显示出录制的时间。

滑动

2. 显示录制时间

1. 轻点

⑦ 录制完成后，再次轻点录制按钮，红灯熄灭，表示录制结束。轻点左下角的缩览图，可使用同样的方法来查看刚刚所录制的视频的效果。

轻点

多学一招

轻按镜头切换按钮，可快速进行前置和后置摄像头的切换。

4.1.2 如何查看旅游时拍摄的照片

　　使用 iPad 不仅可以随时拍摄照片，而且还可以作为随身携带的电子相框，与老友们一起分享自己旅途中所拍摄的美丽照片。

① 轻点主屏幕下方的"照片"应用程序图标。

轻点

02 打开所有存放在 iPad 中的照片。

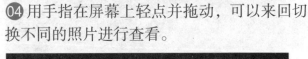

显示照片

03 随意轻点预览图中的一张照片，即可将其打开进行查看。

04 用手指在屏幕上轻点并拖动，可以来回切换不同的照片进行查看。

拖动

05 用两根手指做放大手势滑动屏幕，可使打开的照片放大。

扩大

06 用两根手指做缩小手势滑动屏幕，即可将所打开的照片关闭，退回照片预览窗口。

缩小

多学一招

除了上面介绍的放大和缩小照片的方法外，还可以通过连续轻点照片两次，来放大或缩小照片。此外，若想返回照片预览窗口，除了可以通过捏合照片至最小来进行操作外，还可通过轻点照片，在弹出的编辑菜单中轻点"照片"按钮来返回。

4.1.3 如何将孙子的照片设为屏幕壁纸

在前面的章节中，有介绍过如何通过"设置"程序，将孙子的照片设置为 iPad 的主屏幕和锁定屏幕墙纸的方法。在本节中将介绍如何在"照片"程序中查看照片时，就直接将照片设置为壁纸的方法。

01 在使用"照片"程序查看照片时，如果看到喜欢的照片，可先轻点照片弹出编辑菜单。

02 在打开的编辑菜单中轻点 应用按钮，然后在弹出的选项面板中轻点"用作墙纸"按钮。

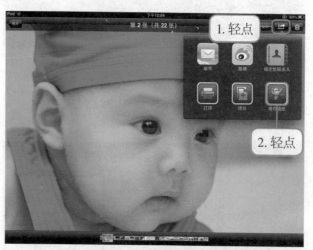

03 在弹出的墙纸设置菜单中，即可按照前面所介绍的方法进行 iPad 主屏幕和锁定屏幕墙纸的设定。

多学一招

在应用选项面板中轻点"指定给联系人"按钮，还可将打开的照片按照前面所介绍的方法设置为通讯录中的联系人头像。

4.1.4 如何为老朋友用幻灯片演示照片

将 iPad 里的照片设置成幻灯片播放，可以像播放电影一样向朋友们自动展示照片，免除一张张滑动展示的繁琐操作。

01 轻点打开照片的编辑菜单后，轻点"幻灯片显示"按钮。在弹出的"幻灯片显示选项"面板中轻点"过渡"选项。

02 在弹出的面板中，轻点相应选项，设置照片的过渡效果。

03 轻点打开"播放音乐"开关，还可以通过轻点"音乐"选项，在打开的面板中设置幻灯片播放时的背景音乐。

04 设置好后轻点"开始播放幻灯片显示"按钮，即可按照设置的波纹过渡样式一张一张自动轮换播放 iPad 中的照片。

多学一招

在使用幻灯片播放iPad中的照片时，若要停止幻灯片的播放，只需在屏幕上的任意位置轻点即可。

4.1.5 如何拷贝与分享照片

iPad 为用户提供了多种拷贝与分享照片的方式，在实际操作时，根据自己的喜好和习惯进行操作和应用即可。

01 在预览照片时，按住照片约两秒，出现"拷贝"按钮后，轻点即可拷贝该照片。

02 在浏览某个照片时，按住屏幕两秒，同样会出现"拷贝"按钮，轻点即可拷贝。

中老年人学iPad丨看就会（全彩畅销大字图解版）

03 也可在照片的编辑菜单中轻点 ⬆ 应用按钮，在弹出的面板中轻点"拷贝"按钮，对照片进行拷贝。

04 若想使用邮件分享照片，可以轻点 ⬆ 应用面板中的"邮件"按钮，即可在打开的电子邮件发送界面中进行照片的发送。

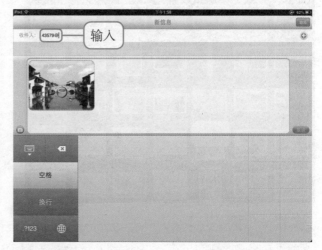

多学一招

iPad为用户提供了多种分享照片的方式，如使用邮件和信息发送照片或将照片发送到微博上。轻点相应的分享按钮，即可进行相应的操作。对于拷贝的照片，可用"粘贴"功能来进行使用。

4.1.6 如何删除照片

若想删除单张照片，可以在浏览照片时通过编辑菜单来完成。但如果想快速批量地删除多张照片，需要在预览窗口中进行操作。

01 若想删除单张照片，只需在浏览照片时，轻点编辑菜单中的 🗑 垃圾桶图标，然后再轻点弹出的"删除照片"按钮即可。

02 若想批量删除多张照片，只需先轻点"照片"按钮，返回至照片预览窗口中，然后再轻点"编辑"按钮。

03 在窗口中轻点选中多张要删除的照片，照片右下角出现蓝色的勾，表示被选中。

04 轻点"删除"按钮，弹出"删除所选照片"按钮，轻点将删除所选图片。

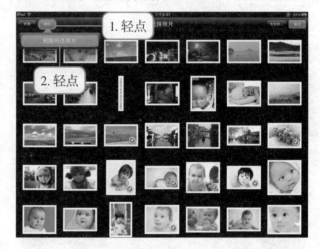

多学一招

如果不想删除照片了，只需轻点"取消"按钮，即可中断操作。

4.1.7 如何使用相簿管理照片

使用相簿将不同的照片进行分类，可以更方便我们对照片进行管理和查看。

01 如果孩子和旅游的照片掺杂在一起，将非常不便于查看。在照片预览窗口中轻点"编辑"按钮。

02 在窗口中轻点选中所有宝宝的照片，然后轻点照片编辑菜单中的"添加到…"按钮。

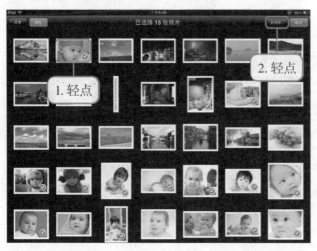

03 轻点弹出的"添加到新相簿"按钮，新建相簿。

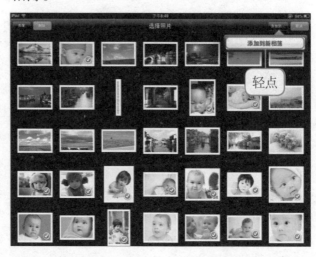

04 在弹出的"新建相簿"对话框中输入相簿名称后，轻点"存储"按钮。

05 此时，在相簿窗口中可以看到以"宝宝"为名称的相簿。

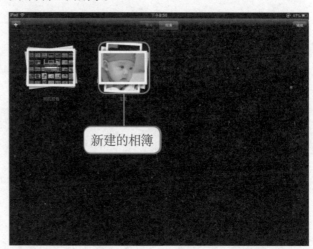

06 轻点"宝宝"相簿，即可将其打开，查看所有宝宝的照片。

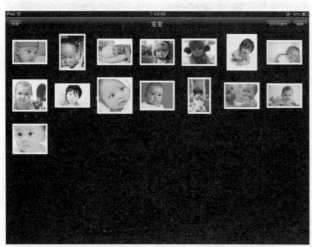

07 除了上述方法外，还可直接在相簿预览窗口中轻点 + 按钮。

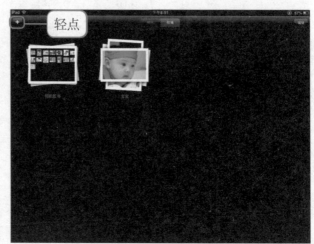

08 在弹出的对话框中，依照相同的方法输入相簿名称，并轻点"存储"按钮。

10 这样，即可在相簿窗口中看到以"旅游"为名称的相簿。

09 轻点选中要放入相簿的所有旅游照片，然后轻点"完成"按钮。

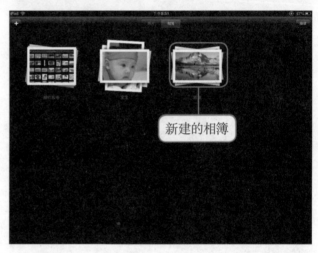

4.1.8 如何将 iPad 变成电子相框

在不使用 iPad 的时候，可以将它变成电子相框，不仅可以作为装饰，而且可让家里变得更加温馨、美丽。

01 轻点"设置 > 电子相框"选项，在打开的设置界面中，轻点"渐隐"选项，将其设置为照片的过渡效果。然后轻点"每张照片显示"选项。

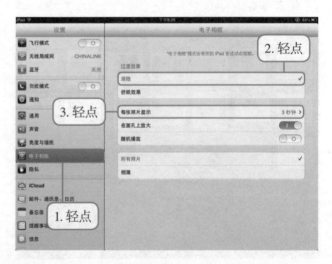

02 在打开的选项列表中，轻点"2秒钟"选项，设置播放每张照片时所停留的时间。

03 轻点打开"随机播放"开关，以不按顺序播放照片。

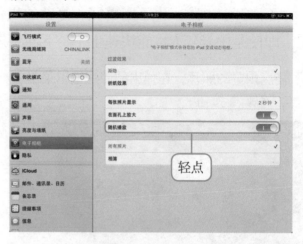

04 轻点"相簿"选项，在展开的选项中轻点"宝宝"相簿，只播放该相簿中的照片。

05 锁定 iPad 后，在唤醒 iPad 时，轻点锁定屏幕下方的 🔲 "电子相框"图标，即可开启 iPad 的电子相框功能。

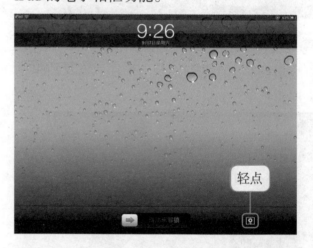

06 iPad 将按照用户之前所设置的各项电子相框的参数，来对宝宝相簿中的照片进行幻灯演示。

07 若想停止电子相框的照片播放，只需轻点屏幕，然后再次轻点变为蓝色的"电子相框"图标即可。

中老年人学iPad I看就会（全彩畅销大字图解版）

　　不用开启电脑，也不用繁冗、复杂的操作，使用 iPad 即可快速完成照片的修饰和美化，即使是中老年人也能快速上手。下面将进行详细介绍。

01 轻点预览的照片，在弹出的照片编辑菜单中轻点"编辑"按钮。

02 轻点"旋转"按钮，即可将照片进行90°顺时针旋转。

03 轻点"撤销"或"复原到原始状态"按钮，即可返回到上一步对照片的操作或恢复到照片的原始状态。

04 轻点"改善"按钮，iPad 将自动对照片进行色彩、明暗和对比度等的调整和修饰。

05 轻点"红眼"按钮，在人物红眼上轻点，即可快速修复照片中人物的红眼问题，若再次轻点则撤销操作。

多学一招

在每一步操作中，都可以轻点"应用"按钮，以将操作应用到照片中，也可轻点"取消"按钮，取消操作。

⑯ 轻点"裁剪"按钮，将在照片中显示裁剪框。通过拖动裁剪框的控制柄并旋转照片，可以对照片进行裁剪和校正。

⑰ 确认裁剪区域后，轻点右上角的"裁剪"按钮，即可完成对照片的裁剪和校正。最后轻点"存储"按钮。

⑱ 轻点"存储"按钮后，对照片所做的所有调整和修饰操作都会被应用到照片中，并将替换原始的照片。

多学一招

在对照片进行裁剪时（步骤06），轻点"限制"按钮，还可对照片进行如正方形、3×5、5×7等各种限制尺寸的裁剪。

4.3 创意拍摄很有趣

iPad 内置的 Photo Booth 程序，可以为照片添加出色的扭曲特效，让用户拍摄出各种效果奇特的照片，非常有趣。

⑴ 在主屏幕中轻点 Photo Booth 应用程序图标，运行该程序。

02 该程序提供了8种拍摄效果以供用户选择，中间是正常效果，可进行对比。

03 轻点选择"镜像"效果，轻点右下角的镜头按钮可以切换前置、后置摄像头。

04 轻点拍摄按钮，即可使用镜像效果拍摄照片。所拍摄的照片将会显示在屏幕右下角，所有拍下的照片都会在此显示。

05 轻点所拍摄照片的缩览图，即可以大图形式显示照片。再次轻点缩览图，则可返回拍摄状态继续进行拍摄。

多学一招

轻点屏幕下方的 特效按钮，可返回特效拍摄选定界面；轻点 拍摄按钮，可继续以选定特效拍摄照片；轻点 应用按钮，可对照片进行邮件发送、拷贝或删除等操作。

Chapter 05　音乐视频带着走

 张爷爷

> 诶？你这 **iPad** 是怎么弄的，跟个随身的戏院似的，想听什么戏就点什么戏，太方便了。

 张爷爷

> 也给我弄个吧！

> 哈哈，我这不仅可以随时听戏，什么看电影、看视频、听音乐、听戏曲、听新闻……只要我喜欢，随时点一下就可以了。

 李奶奶

 李奶奶

> 来，我教你弄！

用户可以使用iTunes将从iTunes Store中下载和购买以及用户自己电脑中的音乐、电影、图书、照片等内容快速传输到iPad中。下面介绍使用iTunes进行iPad资料同步的操作。

5.1.1 如何直接用 iTunes 同步电脑中的音乐

若想将电脑中的音乐传输到 iPad 中，就需要进行同步操作。用户可以直接使用 iTunes 进行音乐文件的播放，并根据自己的喜好来建立音乐播放列表，也可以使用 iTunes 来管理资料库中的音乐文件。

01 运行iTunes，在窗口顶部单击右侧的主菜单按钮，在弹出的菜单中选择"将文件添加到资料库"命令或按快捷键Ctrl+O。

02 在弹出的"添加到资料库"对话框中，打开本地电脑中存放音乐文件的文件夹，按快捷键Ctrl+A全选，然后单击"打开"按钮。

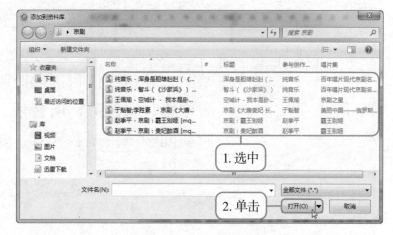

多学一招

iTunes不识别.wma格式的音乐文件。如果导入的文件中包含.wma格式的文件，单击"跳过"按钮，则不将这些文件导入到资料库中。单击"转换"按钮，则将这些文件转换格式后再导入。

03 所选的音乐文件全部导入后，这些文件会显示在"音乐"选项界面中。

04 使用数据线，将 iPad 与电脑连接起来，然后单击出现的 iPad 名称按钮。

05 在打开的 iPad 摘要与同步界面中，单击"音乐"按钮。

06 打开音乐同步设置界面，勾选"同步音乐"复选框。

07 单击选中"选定的播放列表、表演者、专辑和风格"单选按钮，然后在展开的设置列表中，按个人喜好勾选要同步的音乐。

08 选好需要同步的音乐后，单击窗口下方的"应用"按钮，开始将选定的音乐同步到 iPad 中。

多学一招

若选中"整个音乐资料库"单选按钮，则会将资料库中的所有音乐都传输到iPad中。若选中"选定的播放列表、表演者、专辑和风格"单选按钮，则可在下方展开的选择设置中，分别根据播放列表、表演者、专辑和风格来单独选择自己所要的音乐。

09 在窗口顶部的同步信息栏中，可以看到音乐同步的进度条。

10 待同步信息栏中出现"iPad 同步已完成"和苹果的标志时，表明同步已完成。

11 单击"此iPad上"按钮，即可查看同步到iPad中的音乐。单击"完成"按钮，即可结束同步操作。

5.1.2 如何使用 iPad 播放音乐

iPad自带的音乐播放程序能自动识别存储在iPad中的音乐，将音乐同步到iPad中后，使用"音乐"程序即可进行播放。

01 在主屏幕的下方轻点"音乐"应用程序图标，打开音乐播放器。

02 轻点"歌曲"按钮，可以看到本机上的所有音乐文件。

03 轻点歌曲的名称即可开始播放，在顶部的播放控制栏中可查看到歌曲的信息。

04 轻点歌曲播放控制栏中的按钮，可对歌曲的播放进行相应的操作。

05 轻点"表演者"按钮，可以演唱者的分类方式来查看本机上的音乐文件。

06 轻点演唱者的名称，即可打开该演唱者的专辑，轻点专辑中的歌曲名称，即可播放专辑中的歌曲。

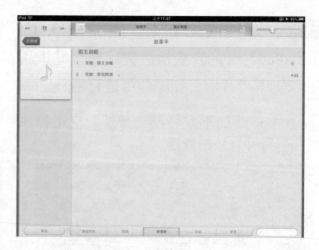

多学一招

使用专辑等方式查看和播放歌曲的操作与比基本相同，在此不再一一赘述。

多学一招

在歌曲播放控制栏中，会显示当前正在播放的歌曲名称、播放时长和歌曲总长等信息。轻点 ◀◀ 按钮，将播放上一首歌曲；轻点 ❙❙ 按钮，将暂停歌曲的播放；轻点 ▶▶ 按钮，将播放下一首歌曲；如果歌曲有专辑封面，♫ 图标会显示为专辑的封面图，轻点可显示专辑封面大图；多次轻点 ⟲ 循环播放按钮，可以 🔁 全部循环和 🔂 单曲循环的方式播放歌曲；轻点 🔀 随机播放按钮，可以随机播放iPad上的歌曲。

5.1.3 如何只播放自己挑选的音乐

当iPad中存放的歌曲比较多时，可以为其制作播放列表，这样就可以在不同的场合和时间下，根据需要来播放指定的歌曲。

01 先轻点屏幕下方的"播放列表"按钮，然后再轻点"新建"按钮。

02 在弹出的"新建播放列表"对话框中输入列表名称，然后轻点"存储"按钮。

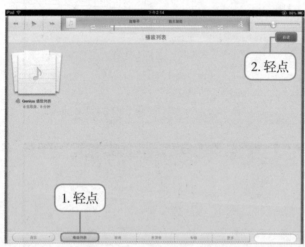

03 弹出"将歌曲添加到'最喜欢'播放列表"界面，轻点右侧的 + 按钮，即可将歌曲添加到新建的播放列表中。

04 添加到新建播放列表中的歌曲的颜色会以浅灰色高亮显示，添加完成后轻点"完成"按钮。

05 轻点"完成"按钮后，歌曲名称的前面会出现 – 删除按钮。

06 轻点 – 按钮，再轻点弹出的"删除"按钮，可以将歌曲从播放列表中删除。

删除按钮

1.轻点　　2.轻点

07 删除后，歌曲将从列表中消失，如果想再将其加进来，可轻点"添加歌曲"按钮。

08 轻点并拖曳歌曲名称右侧的排序按钮，可以调整播放列表中歌曲的播放顺序。

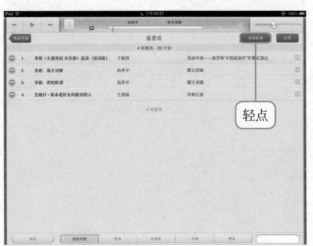

轻点

拖动

09 完成歌曲播放顺序的编排操作后，轻点"完成"按钮，即可完成"最喜欢"播放列表的新建操作。

10 若想再次编辑播放列表，可轻点"编辑"按钮。若轻点"播放列表"按钮，则回到播放列表的主界面。

11 在播放列表主界面中，即可像查看和播放表演者专辑一样，播放自己选定的列表中的歌曲。

12 若想删除播放列表，只需先轻点并按住播放列表两秒钟，待出现删除按钮后，轻点⊗删除按钮。

13 轻点⊗删除按钮后，播放列表将消失。

iTunes虽然功能强大，但对于中老年人而言，操作起来可能会显得稍微繁琐。使用iTunes同步视频和播放视频等的操作基本相同，在后面的内容中将不再赘述。

中老年人学iPad｜看就会（全彩畅销大字图解版）

如果觉得使用 iTunes 同步电脑上的音乐的操作太过繁琐，那么也可以直接享受在线音乐。这里将为中老年人介绍一些在线的音乐播放器和 App 应用，使用它们不仅可以播放优质的音乐，而且可以随时找到适合老年人欣赏的音乐，非常方便。

5.2.1 如何使用 QQ 音乐播放器

"QQ 音乐 HD"是腾讯公司为 iPad 用户打造的正版网络乐库及本地音乐播放的音乐应用程序。通过网络搜索功能，可以在海量的网络乐库中轻松找到喜欢的歌手、专辑等。清新简洁的播放器界面，人性化的操纵，可以为你带来新鲜的、高品质的、丰富的正版音乐。

01 将 QQ 音乐播放器安装在 iPad 中，轻点"QQ 音乐 HD"图标运行程序。

02 轻点"同步"按钮，可以将 iPad 中的歌曲同步到"本地歌曲"中。

03 轻点"本地歌曲"将其打开，轻点歌曲名称即可开始播放。

04 默认按顺序播放，轻点循环列表图标，则循环播放该组中的音乐。

05 若轻点 📻 单曲循环图标，可以重复播放当前正在播放的音乐。

06 若轻点 🔀 随机播放图标，则是随机播放"本地歌曲"中的歌曲。

多学一招

QQ音乐播放器下方的控制按钮的操作与使用iPad的音乐程序播放音乐的操作基本相同，轻点 ⏮ 可以播放上一首歌曲；轻点 ⏭ 可以播放下一首歌曲；轻点 ⏸ 可以暂定音乐；拖动 🔊━━━ 音量控制条的滑块，可以调整音乐的声音大小。

07 轻点"返回"按钮，即可返回上一级"本地音乐"界面。

08 轻点"歌手分类"和"专辑分类"按钮，分别按歌手和歌曲来显示歌曲。

多学一招

在"本地音乐"的"歌单分类"界面中，轻点"新建"按钮，即可按照前面所介绍的相同的方法新建歌曲播放列表；轻点"编辑"按钮，则可删除歌单分类中的播放列表。

中老年人学iPad｜看就会（全彩畅销大字图解版）

09 轻点"网络乐库"按钮，再轻点歌曲名称，即可播放选中的歌曲。

10 轻点专辑封面或歌词，可以将歌词的内容显示出来，以白色显示的歌词为同步歌词。

11 轻点"热门单曲"按钮，可以搜索到目前为止播放次数比较多的音乐，轻点相应的分类图标，即可打开详细的歌曲列表。

12 轻点"热门歌手"，可以搜索到目前为止人气较高的歌手，轻点图标可打开歌曲列表，轻点下方的播放按钮，则直接播放歌曲。

13 轻点"音乐电台"按钮，可以搜索当前可以播放的音乐电台的列表，轻点即可收听相应的电台音乐。

14 轻点 MV 按钮，可以查看到歌曲的音乐录影带，左右滑动屏幕，可以进行歌曲列表的切换。

⓯ 找到喜欢的歌曲后，轻点歌曲图标或播放按钮，就可以开始播放 MV，通过播放器下面的按钮可以进行播放控制。

⓰ 如果没有找到自己喜欢的歌曲，还可以通过轻点"在线搜索"按钮，在搜索栏中输入歌曲的名称，来查找需要的歌曲。

⓱ 搜索完成后，所有符合搜索关键词条件的歌曲会以列表的形式显示在界面中，轻点即可开始播放欣赏。

⓲ 如果想要将自己喜欢的歌曲下载到 iPad 中，需要先轻点界面左上角的登录按钮，在弹出的对话框中输入 QQ 号和密码进行登录。

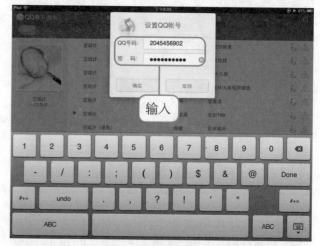

⓳ 登录后，轻点歌曲名称右侧的下载图标，即可将歌曲下载到 iPad 中，这样就可以不用受网络的限制，随时随地欣赏自己喜欢的音乐了。

5.2.2 如何在家里听大戏

纳达书院

年轻人喜欢唱卡拉 OK，而老年人则更喜欢听戏。在这里，我们就为中老年朋友介绍一个可以随时播放各种戏剧的应用程序，让他们可以随时随地播放自己喜欢的戏曲。

01 下载安装好软件，轻点图标运行程序操作。

02 选择喜爱的片段，轻点下载图标。

03 下载的时候可以去做别的事情，待下载结束后，轻点该戏曲名称，开始播放。

04 戏曲播放过程中，不仅有该戏曲的歌词，还会有一些历史背景和名家介绍。

05 轻点名家介绍，就可以了解到名段是由哪位名家演唱，及戏曲的背景故事。

5.2.3 如何使用 iPad 听评书

单田芳全集

　　相信很多中老年人都有听评书的习惯，很多老段子大家都耳熟能详的，很多名家名段更是成为了经典。使用 iPad 的相应程序可以方便地收听到很多经典的曲目。由于音频文件都比较小，所以也无需担心 iPad 的容量问题，可以多下载一些慢慢欣赏。

01 下载安装好软件，轻点图标运行程序，在页面中会显示出单田芳老师的经典名段。轻点水浒传曲目。

02 此时会打开该评书的详细目录，轻点某一回标题右侧的"提前下载"按钮，下载选定的曲目。

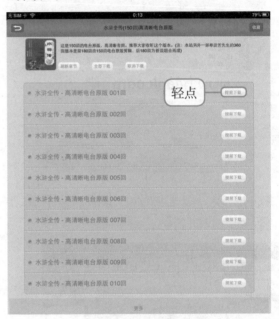

03 开始下载相应的音频文件，这个过程需要一点时间。

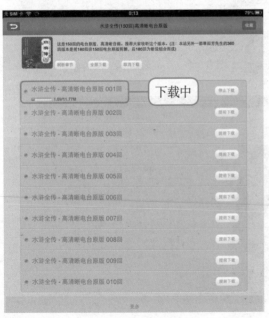

04 曲目下载完成后会自动播放，在曲目的右侧会显示"播放中"字样。

05 轻点 ➡ 返回按钮，返回到应用程序的首页，在底部轻点播放器按钮。

06 在打开的播放器页面可以对评书的播放进行等控制。

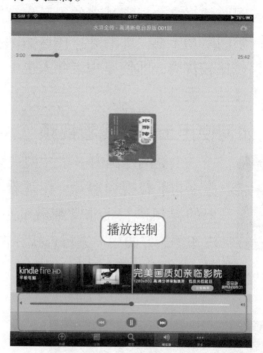

07 轻点"分类"按钮打开分类页面，里面包括了小说在内的很多内容。

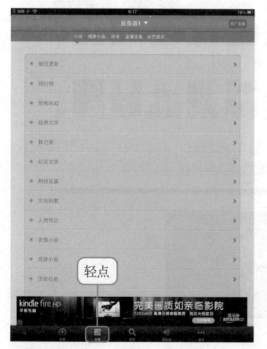

08 在分类里也可以选择其他的内容，比如"相声小品"，轻点即可切换。

多学一招

除了可以使用iPad听评书以外，在iTunes Store中还有很多适合中老年人使用的类似的应用程序，如郭德纲相声、中国戏曲、京剧等。只需在iTunes Store中，按自己的喜好输入搜索关键词，进行所需应用程序的查找和下载即可。

随着网速的提高，越来越多的人喜欢直接在网上在线观看各种视频。目前使用的比较多的视频网站是土豆、优酷等。在这些网站上观看视频无需下载，而且影片的质量和画面效果都比较优秀，即使是中老年人也可以轻松操作。这样，就算一个人在家，也不会再感觉孤独、无聊了。

5.3.1 如何使用土豆在线看视频

土豆网是国内一家大型视频分享网站，用户可以在该网站上传、观看、分享与下载视频短片。在观看视频时，土豆网还非常贴心地为用户将网站上的视频进行了非常细致的分类，如热点、娱乐、纪录片、科技、体育、汽车等，方便用户进行查找和搜索。

01 下载安装好土豆HD，轻点图标运行程序。

02 在土豆在线的首页上，可以看到最新推荐的视频。

03 轻点下方的"更多"图标，可按不同分类进行视频选择。

04 选择某个视频后，轻点即可打开其播放页面，在播放页面中有视频控制的讲解。

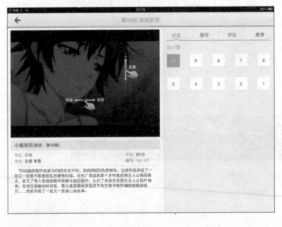

05 跳过视频控制讲解内容，视频开始播放，可以用小窗口播放也可以全屏播放。

06 对于中老年人来说，最好全屏播放视频，因为很多视频的字幕很小。

中老年人学iPad｜看就会（全彩畅销大字图解版）

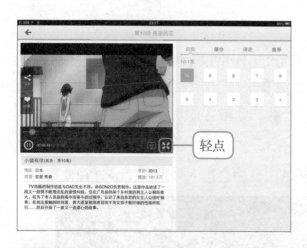

轻点

5.3.2 如何使用优酷搜索想看的视频

优酷网是中国领先的视频分享网站，以"快者为王"为产品理念，注重用户体验，不断完善服务策略，其卓尔不群的"快速播放、快速发布、快速搜索"的产品特性，充分满足了用户日益增长的多元化互动需求。

01 下载安装好"优酷 HD"，轻点运行程序。

02 首页为优酷的精选视频。

轻点

03 用户可以通过搜索的方式，方便地查找到自己喜欢的视频。

04 在使用网络的各种资源时，搜索是一个非常实用且必不可少的技能。

2. 输入

1. 轻点

3. 轻点

如何使用网易公开课边看边学

正所谓活到老学到老，中国领先的门户网站网易推出了"全球名校视频公开课项目"。用户可以在线免费观看来自于哈佛大学等世界级名校的公开课课程，内容涵盖人文、社会、艺术、金融等领域。

01 在主屏幕中轻点"网易公开课"图标。

02 首次使用会进入帮助页面，查看教程。

03 轻点帮助页面后进入程序首页，此时可以看到教程的分类情况。

04 默认显示的是热门课程，轻点页面中的"最新课程"选项，以显示最新更新的课程。

05 轻点某个课程的封面即可选课播放。

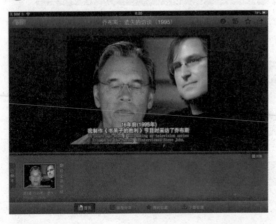

06 也可通过课程分类选择精细课程。

iPad 的视频观看有一个最大的缺点，就是需要转化格式，如果格式不正确，iPad 是无法观看这些视频的。所以对于广大老年人而言，使用在线视频软件观看各种影视节目是一个不错地选择。

5.4.1 如何使用 iPad 播放电影

虽然很多人都习惯看网络视频，但是并不是每个人都拥有良好的宽带网络环境，所以有些时候还是需要播放一些下载的视频，或者从别处拷贝过来的视频。那么接下来就将讲解如何使用 iPad 播放保存在 iPad 中的视频内容。

01 轻点主页面中的"视频"应用程序图标，运行视频播放器。

02 运行程序后系统会自动找到本机上储存的视频文件（不能解码的格式不显示）。

03 轻点页面中列出的视频名称，可以看到视频的信息。轻点播放按钮即可开始播放。

04 播放视频过程中，可以拖动上方的进度条调整播放时间，下方可调整声音。

5.4.2 如何使用 PPS 影音播放电影

"PPS影音"应用程序是一款P2P网络电视软件，支持对海量高清影视内容的"直播+点播"功能。可在线观看电影、电视剧、动漫、综艺、体育直播、游戏竞技、财经资讯等丰富的视频娱乐节目。

01 轻点下载安装好"PPS影音"图标。

02 首页是按不同类别分类显示的推荐视频。

03 首先介绍一下左上角的搜索功能，这是寻找影片的利器。

04 轻点"热门电影"按钮，可以打开热门电影的列表。

05 在热门电影类目下，可以进一步选择，比如轻点选择"动作片"。

06 在动作片的列表中，轻点"敢死队2"选项，即可播放该影片。

07 默认的影片播放方式为小窗口播放，可以轻点播放器右下角的箭头放大。

08 大部分视频都是宽荧幕的形式，所以采用横向摆放 iPad 播放，效果会更好。

5.4.3 如何使用迅雷看看播放电影

迅雷看看是集电影、电视剧、动漫、综艺、各类节目、电视台线上直播、高清晰下载等于一体的多媒体视频点播平台。用户可根据自己的喜好进行选择。内容上，迅雷看看已与全国10多家主流宽频平台、内容提供商等签订了全面合作协议，让用户享受更丰富、更自主的视觉大餐。

01 轻点"迅雷看看 HD"图标，运行该应用程序。在程序的首页显示"今日推荐"的各种电影和电视剧。

02 迅雷中比较有特色的分类是 1080P，这个分类中的内容都是高清影视。

03 选择高清影视之后还可以通过顶部的导航栏进行进一步选择，比如轻点选择"电影"。

04 轻点图片进入对应视频的综合页面，在此页面中可以选集播放，也可以查看影片介绍或者观众对该影片的评价等。

05 轻点"立即播放"按钮，可以播放相应的视频。1080P 的高清视频拥有更好的分辨率和清晰度，画质也更加完美。

多学一招

随着互联网技术的不断发展，网络的传输速度越来越快，而且网络费用也越来越便宜，同时，无线网络等技术的使用也让网络设备越来越简洁，所以在线看视频、电影或是电视剧已经逐渐成为了一种趋势，它可以让用户更加自由地选择所观看的内容、进度、时间和效果，非常方便。此外，除了可以使用iPad观看各种视频、电影和电视剧外，还有一些应用程序，如"电视直播HD"、"看电视啦HD"等都可以使用iPad直接同步播放电视里正在播出的电视台和电视节目，而且无需安装机顶盒和交电视费即可免费观看。

中老年人学iPad 1看就会（全彩畅销大字图解版）

Chapter 06　网络世界很精彩

張爷爷

> 以前我儿子想给我买台电脑上网，但是我看到鼠标就头晕。

張爷爷

> 不知道用我的 **iPad** 可以上网不。

李奶奶

> 当然可以啦，用 **iPad** 不但可以像电脑一样上网。

李奶奶

> 还可以用一些专门的应用看新闻啊，交话费啊，可方便了呢！

6.1 网络之大任我游

　　Safari 是苹果公司推出的一款用于看网页的浏览器，和大家经常在计算机上用的 IE 浏览器类似。这个浏览器已经预先安装在 iPad 中了，通过它可以看各种网页，比如新浪、搜狐等门户网站，也可以使用百度等搜索网站。

6.1.1　如何将 iPad 接入无线局域网

　　如果 iPad 所处的位置有无线网络的覆盖（即 WIFI 无线网络），就可以将 iPad 接入无线网络，进行上网冲浪。下面介绍如何让 iPad 连接 WIFI 无线网络。

01 轻点主屏幕上的"设置"图标，然后轻点 Wi-Fi 选项并打开"Wi-Fi"开关，此时系统会自动寻找附近可用的无线网络。

02 轻点找到的自己的无线网络，在弹出的密码框中输入Wi-Fi密码，然后轻点"加入"按钮。密码是在路由器设置的。

03 输入密码后也可以按键盘上的"Join"键，密码正确后将连接到这个无线网络。

多学一招

在"通用"选项界面中也可进行Wi-Fi无线网络和VPN的设置与接入。

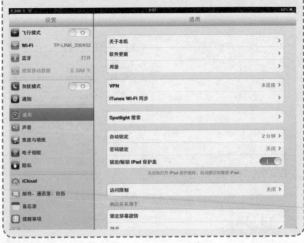

中老年人学iPad I 看就会（全彩畅销大字图解版）

6.1.2 如何使用 Safari 浏览网页

Safari 浏览器的主要功能就是用来浏览网页，只要知道相应的网址就可以方便地在浏览器中打开相应的网页。

01 单击主屏幕下方的 Safari 浏览器图标进入浏览器页面。

02 在地址栏轻点一下，就可通过键盘输入网站地址，如 www.baidu.com。

03 地址输入完成后，按下虚拟键盘的"前往"键即可打开对应的网站。

04 轻点百度首页上的"新闻"选项，将打开百度提供的新闻页面。

05 轻点击标题栏右方的新建按钮 可以新建页面。点击页面标题右侧的按钮 则关闭。

06 轻点新页面的地址栏，并输入新的网站地址，即可打开新的网站。

07 使用手势可以放大页面的显示效果（两指并拢轻触屏幕再分开手指）。

08 在页面中轻点一个链接可以打开相应网页。长按2秒可以打开选项控件。

09 选择"在新标签中打开"选项，将新建一个页面并在新页面中打开链接。

10 选择"拷贝"选项，可以将链接复制到剪贴板，然后可以将链接粘贴到备忘录。

11 如果要存储网页中的图像以便日后查看，可以长按图片约两秒，轻点"存储图像"选项。

⓬ 轻点"储存图像"选项后，图片将会保存到"相簿"里的"照片"文件夹中（打开"照片"程序即可看到保存的图片）。

6.1.3 如何将网页添加至收藏夹和主屏幕

将网页添加到收藏夹可以方便以后随时浏览，如果将网页添加到主屏幕则会在屏幕中显示一个相应的网页图标，轻点就可以打开相应的网页。

⓪1 打开浏览器，登录网页后，轻点 📤 按钮将出现下拉菜单。

⓪2 选择"书签"选项，在弹出的控件中输入该书签的名称，然后轻点"存储"按钮。

⓪3 选择"添加到主屏幕"选项，输入图标的显示名称，可将此网页保存到主屏幕上。

⓪4 这样在主屏幕中就会出现一个网页图标，轻点此图标可以快速打开对应的网页。

6.1.4 如何查看与清除历史记录

历史记录就是我们曾经浏览过的网站记录，也就是说可以记录我们在一段时期内都浏览了哪些网页，删除历史记录可以有效地保护我们的隐私。

01 在浏览器窗口中轻点 图标，打开"书签"列表。

02 轻点"历史记录"可以查看之前浏览过的网页，也可以查看相应日期的网页。

03 轻点"清除历史记录"按钮，在弹出的窗口中轻点"清除历史记录"按钮即可。

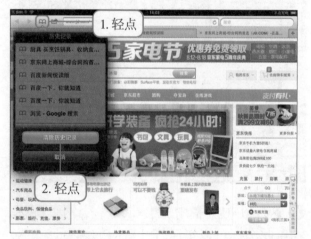

04 清除历史记录完成后，历史记录列表中变为空白。

多学一招

除了上面的方法外，还可以在"设置"选项界面中清除历史记录，打开"设置"选项界面后，选择Safari，在这里可以清除浏览器的缓存文件或历史记录。如果打开了"隐私权"下的"秘密浏览"形状，那么将不会有历史记录，即历史记录是空的。

6.1.5 如何管理收藏夹

通过管理收藏夹可以将收藏夹中的网页删除和归类，编辑后的收藏夹会更方便我们查找和使用。

01 在浏览器中打开"书签"列表，轻点列表中的"书签栏"选项。

02 进入书签栏后，轻点右边的"编辑"按钮，再轻点左边的"新文件夹"按钮。

03 此时设置书签文件夹的名称，然后设置所属层级，一般设置在"书签"下。

04 轻点"书签"列表中的"完成"图标，完成"新建文件夹"的操作。

05 打开百度首页，并采用上述方法将百度搜索引擎保存到"搜索引擎"文件夹中。

中老年人学iPad I 看就会（全彩畅销大字图解版）

06 轻点浏览器中的"书签"图标，在打开的列表中可以看到之前创建的"搜索引擎"书签夹。

07 轻点"搜索引擎"文件夹，即可看到刚刚收藏进来的百度搜索引擎。

08 如果要更改或删除无用的书签或文件夹，轻点"书签"图标再轻点"编辑"按钮。

09 要调整顺序的话，轻点要移动的书签或文件夹右侧的三图标并拖动。

10 也可以直接将某些收藏的网页拖曳到相应的文件夹中。

11 如果要删除，则轻点左边的 ⊖ 图标，然后轻点右侧的"删除"按钮即可。

6.1.6 如何设置 Safari 的默认搜索引擎

搜索引擎在浏览网页中经常会被用到，因为毕竟很难记住我们需要浏览的网址，通过搜索引擎可以非常方便快捷地找到需要的内容。

01 在主屏幕中轻点"设置"图标打开选项界面，轻点左边设置栏里的 Safari 选项。

02 轻点右边第一个选项"搜索引擎"，此时即可设置浏览器的默认搜索引擎。

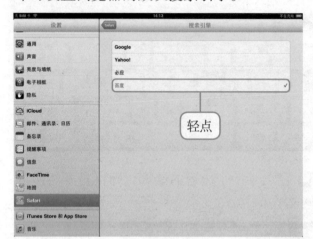

6.2 徜徉网络大海洋

虽然离开了工作岗位，但是老年人仍然会喜爱阅读新闻等。从以前的报纸到现在的电子媒体，新技术让老年人的生活变得更加丰富多彩。在这里，就向大家介绍几款常用的应用软件。

6.2.1 如何使用百度搜索引擎

使用网络就离不开搜索引擎，因为我们不可能记住所有的网址，而使用搜索引擎找到需要的网址非常方便。目前使用最多的中文搜索引擎就是百度，通过百度搜索引擎不但可以找到各种网站，同时它还提供了很多便利的搜索内容，如图片、新闻和百科等。

01 在主屏幕下方轻点 Safari 图标打开浏览器，在地址栏中输入百度的网址：www.baidu.com. 进入百度首页。

02 在搜索栏中输入需要搜索的内容，然后轻点右侧的"百度一下"按钮就可以开始搜索了。

03 搜索出来的内容会按照列表的方式显示出来，在列表中还有简单介绍。

04 轻点某一个内容的链接，即可打开相应的网站。

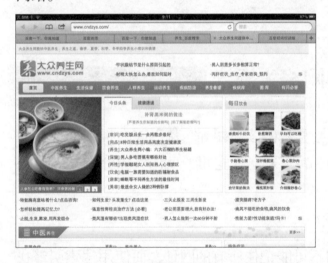

05 轻点百度搜索引擎左上角的"新闻"链接，可以打开相关的新闻列表。

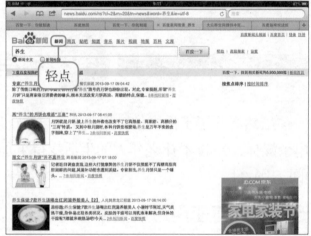

06 除了新闻之外，在搜索引擎上面的各个链接都可以打开浏览，比如轻点"图片"链接。

07 除了各种搜索之外，还可以通过轻点"贴吧"链接进入百度交流平台。

6.2.2 如何使用新浪新闻查看时政要闻

新浪网是一家服务于中国及全球华人社群的领先在线媒体及增值资讯服务提供商。如今，使用iPad可以在第一时间获得新浪网提供的高品质全球资讯新闻及高清精彩图片，并随时随地享受专业的资讯服务。新浪新闻的功能包括：浏览最新的资讯，包括新闻、财经、体育、科技、娱乐等频道，以及根据用户需要定制的实时滚动新闻。

⓵ 轻点下载并安装好的"新浪新闻HD"应用程序图标。

⓶ 只要网络连接正常，即可登录到新浪的新闻中心。

⓷ 轻点最上方的"体育"分类链接，可以打开该分类的各类新闻。

⓸ 轻点顶部闪动的图片链接，可以打开相关的新闻列表。

⓹ 轻点页面中想要了解的内容标题，即可打开详细的新闻内容。浏览新闻时轻点顶部的 < 按钮可以返回首页。

⓺ 轻点程序界面右上角的"设置"图标，可以打开"设置"控件，在这里可以根据需要进一步编辑程序界面。

6.2.3 如何使用 ZAKER 阅读各种新闻

对于老年人而言，他们没有那么多精力搜索各类网站，所以向他们推荐一款新闻聚合软件——ZAKER。这款软件将各个网站的新闻汇聚在一起，读者只需轻点相应的选项，就可以方便地阅读相关的新闻资讯。

01 轻点下载并安装好的"ZAKER"应用程序图标，运行该程序。

02 轻点"ZAKER"图标后，只要网络连接正常，即可登录到新闻中心。

03 轻点"健康频道"选项，就可以打开这个分类下的各类新闻。

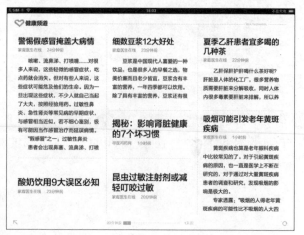

中老年人学iPad 一看就会（全彩畅销大字图解版）

04 轻点相应的新闻标题，就可以打开并阅读该新闻。

05 轻点右下角的箭头，不仅可以保存该篇文章，还可以将该文章分享给其他老朋友。

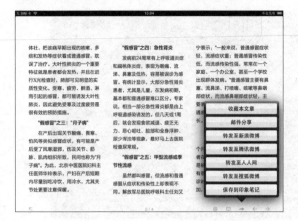

6.2.4 如何使用 iPad 看报刊和杂志

老年人都有看书读报的习惯，浏览报刊杂志是大家日常生活的一部分。iPad 提供了一个非常方便的报刊杂志浏览工具，使用这个工具可以方便地下载和浏览很多免费的报刊杂志。

01 在 iPad 的主屏幕上轻点"报刊杂志"图标打开程序，然后轻点右侧的"商店"按钮。

02 在打开的报刊杂志商店中会显示各种可以购买和免费阅读的报刊和杂志。

03 轻点"看天下"杂志选项，打开杂志的介绍和下载页面，轻点"免费"按钮下载该应用程序。

中老年人学iPad｜看就会（全彩畅销大字图解版）

04 下载安装后可以打开相应的杂志。下图所示为"看天下"杂志的首页。

05 每个杂志都有很多期，所以需要先下载某一期的杂志才能阅读。轻点"免费"按钮。

06 将程序下载下来（这个过程可能需要一点时间），然后就可以轻点"阅读"按钮翻阅文件。

01 轻点阅读按钮之后打开相应期刊的首页，此时首页以竖向显示。

02 轻点首页即可进入杂志的目录页，通过轻点目录的标题可以进入相应的内容。

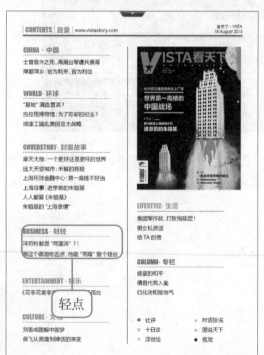

03 打开某个页面后就可以开始阅读了，通过轻点顶部的三角形按钮可以打开导航。

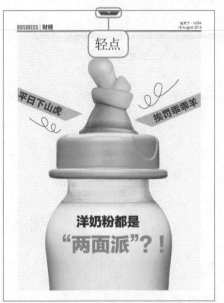

04 在杂志顶部的导航栏中，可以通过拖动阅览杂志的其他页面。

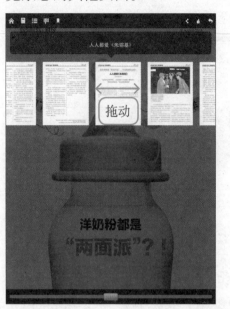

6.3 网络生活便利多

　　网络并不是一个只能用来欣赏东西，或者查阅资料的工具，它还有很多非常实用的功能，比如可以在网上充手机的话费或者交水电费等，同时还可以进行团购，既省钱又方便。

6.3.1　如何上网充电话费

　　如果拥有了淘宝网的账号和支付宝，在网上充值话费就变得非常容易，因为通过淘宝网的便民服务，可以在一分钟内完成话费的充值。

01 在浏览器中输入淘宝的网址，或者使用百度搜索引擎找到淘宝网并进入。

02 在淘宝网首页的右侧有一个"便民服务"选项栏，里面有充值话费的选项，轻点该选项。

03 输入手机号和充值金额后单击"充值"按钮，会先打开淘宝网的登陆页面，输入淘宝账号及密码进行登录。

04 登录后进入支付宝的支付页面，然后按照页面指示完成支付即可。

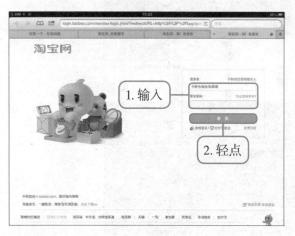

6.3.2 如何上网交水电费

现在很多银行系统都提供各种方便的便民服务，比如提供各种网上缴费的接口，通过银行的网上银行可以方便地完成各种日常缴费业务，其中包括水费、燃气费等。

01 下载并安装好中国银行客户端，轻点打开银行网页的首页。

02 跳过银行的使用指导页面之后，进入网银的首页输入相应的信息登录。

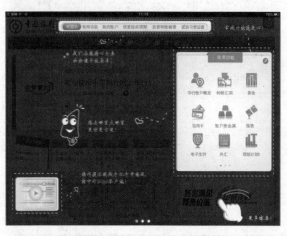

03 登录后，网银首页中有很多方便的服务项目和导航栏。

04 轻点顶部导航栏中的"我要转账缴费"选项，打开相应的页面。

05 在打开的页面中选择"账单缴付"选项，打开缴费页面。

06 轻点某一个要交费的项目，比如北京自来水费，拖放到缴费区。

07 在打开的提交水费的缴费流程窗口，按照步骤输入信息进行缴费了。

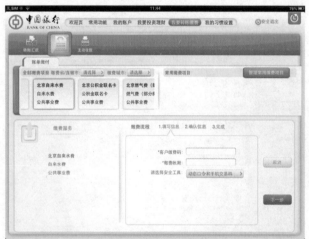

6.3.3 如何查找附近美食

  有时候新到一个地方，比如到了儿女家所在的地方，可能对周围的情况不熟悉，此时如果想找到适合自己，又比较实惠美味的美食就显得比较困难了。对于老人来说节省是很重要的，所以不可能到附近的每家饭店都去品尝一番，而且很多时候还涉及到出行是否方便等问题。

  针对大家对于美食的需求，有人制作了一个很方便的网站，叫大众点评网，网址是www.dianping.com。使用大众点评网寻找周边的美食，可以方便地找到周边的特色饭店。它的特色之处在于你可以通过划分范围寻找到周边的店铺，当然如果没有人提到的店铺是没办法搜索到的。大众点评网还提供了另外一个更有用的参考，就是可以查询到大家对店铺的评价，以便我们更好地作出选择。

01 在浏览器中输入网址，或者通过搜索引擎找到大众点评网，轻点"全部商区"链接。

02 此时可以打开所在城市的所有商区，轻点自己家周边的商区。

03 选择具体的商区之后就会显示出该商区周边的各个店铺。

04 轻点某个店铺即可进入店铺的介绍页面，在页面中会有店铺的特色菜介绍等。

05 在每个店铺的下面都会有一些去过该店铺的顾客的留言，这些评价很重要。

06 轻点店铺右侧的位置选项，可以打开店铺位置的地图，方便我们查找路线。

6.3.4 如何参加团购省钱

　　团购是一种比较新颖的消费方式，通过大家组团进行购买，可以获得更加实惠的价格，越来越多的人喜欢上了团购。对于继承了勤俭持家传统的中老年人来说，团购非常符合他们的消费习惯。

01 下载并安装好"美团"团购应用程序，轻点打开首页。首页主要由导航和推荐构成，导航栏最为重要，轻点"全部"按钮。

02 在全部分类中可以显示出可以团购的各种产品和服务。可以通过点击标题选择团购的分类比如电影、美食和酒店等。

03 轻点"美食"选项打开团购中的美食项目，会显示出各种团购的内容。

04 此时还可以进一步选择团购美食的所在地，因为太远了可能出行不方便。

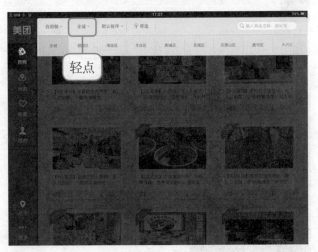

05 通过轻点选择区域选项可以打开更加详细的小分区列表，选择某一个分区。

06 因为选择的范围变小，所以此时得到的团购项目就要少很多了。

07 在团购网的页面上还提供了各种不同的排序服务，比如按照评价排序等。

08 另外美团网还提供了筛选服务，可以对产品进行进一步的挑选。

09 轻点相应的美食图片进入团购的详细介绍页面。

10 在这里要仔细阅读团购的注意事项，以避免预约等麻烦。

11 一般美食团购的介绍中都会配有各种菜肴的图片。

12 如果团购有评价一定要翻阅一下，因为有不少团购可能菜肴并不是特别好。

⑬ 然后查找确定好团购菜肴的所在地点，避免出行的麻烦。

⑭ 当然也可以将团购的项目进行分享，比如分享到微博等地方。

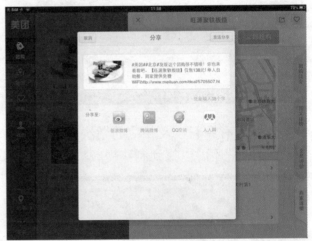

⑮ 当团购的项目都确认好以后，就可以选择团购产品下单了。

⑯ 订单确认之后可以通过支付宝或者财付通等网上支付方式进行支付。都完成后就可以去享用美食了。

菜谱大全

　　老年朋友最大的乐趣就是在家中为儿女做一顿大餐，犒劳一下辛苦的儿女，同时让一家人能够聚会一下。但是总是老花样，会觉得没有新意。有了 iPad 的"菜谱大全"，就可以做各种符合儿孙胃口的大餐了。

01 下载并安装好"菜谱大全"程序，轻点打开后会有各种类别的菜品以供选择。

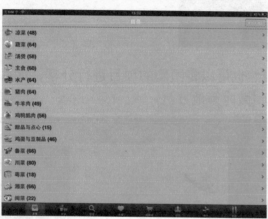

02 轻点"蔬菜"选项，轻点选择儿孙最喜欢吃的"松仁玉米"。

03 打开后有原料以及相应的做法介绍，最令人称道的是还可以找到制作视频。

04 轻点视频按钮，就会出现各种"松仁玉米"做法的教学视频。

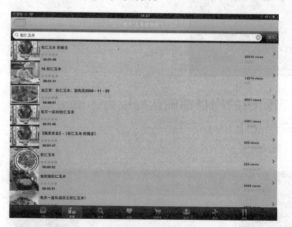

05 轻点一个视频，就会播放大厨们制作这道菜品的视频资料。这样，就可以边看着视频，边做大餐了。

06 这个软件还可以查询各个食材的属性，不
用担心某些食材不适合老年人。

6.3.6 如何使用美食杰烹饪佳肴

　　"美食杰 HD"是一个非常方便好用的食谱软件，它不但步骤讲解得
非常细致，基本上每个菜谱的每个步骤都有相应的配图。同时在"美食杰"
的应用中还统计了每种菜谱的营养含量等信息，方便大家能够更好地了解
各种美食的食用价值。

01 下载并安装好"美食杰"程序，轻点打开
程序的首页，选择某个分类。

02 在每个分类中还有更加具体的分类，非常
方便我们寻找菜谱。

03 轻点选择某一个菜谱的图标后，可以打开
相应的菜谱内容介绍页面。

04 在菜谱内容介绍页面上有详细的制作步骤，重要步骤都有配图。

06 "美食杰"中还提供了简单的营养信息列表。其中主要的参考项目是热量值，对于中老年人来说，不要吃太多高热量的食物。另外就是要注意菜肴里的各种营养成分，比如有用的钙、维生素、胡萝卜素等。

05 轻点右侧的"用户评论"选项，还可查看照此步骤做过的用户的评价。

07 "美食杰HD"中还特意按照人群做了分类，如可以寻找到老人和宝宝的菜谱，这些菜谱会更适合特定人群食用。如果可以，也可以自己按照菜品构建一个每周菜单。

多学一招

对于应用中给出的各种数据仅供参考，因为根据制作时所用食材量的不同，各种营养成分也会有所差别，对于自身有三高症状或是有糖尿病等疾病的用户，最好遵从医生的指导。此外，美食杰的搜索功能也非常实用，可以根据已有的食材进行相关菜谱的查找。轻点界面下方的搜索按钮，然后在文本框中输入食材名称并进行搜索，即可在界面中看到全部应用到该食材的菜谱。

中老年人学iPad｜看就会（全彩畅销大字图解版）

Chapter 07　网上交流零距离

 张爷爷

听说用 **iPad** 可以和我儿子还有小孙子聊天，不但方便而且还能省下不少电话费。

 张爷爷

是真的吗？

当然是真的啦！用 **QQ** 或者微信都可以和孩子们聊天，或者我们不能见面的时候，也可以用它来聊天。

 李奶奶

除此之外也可以玩微博，把自己每天做的事情和想法同大家分享一下。还可以通过邮件给孩子们写信呢。

 李奶奶

QQ 是一款用来网络聊天的工具，有点像现实中的电话，可以通过 QQ 与亲戚、朋友进行交流。不过 QQ 和电话不同，大多数时间是通过文字进行交流的，不过也可以使用图片、语音、视频等其他方式。

7.1.1 如何登录 QQ

登陆 QQ 是使用 QQ 聊天的第一步，一定要牢记住自己的 QQ 号码和密码，最好把密码记录到日常的记录本或者备忘录里。

01 下载并安装好 iPad 版本的 QQ，轻点名为 QQ 应用程序图标，即可运行。

02 首次使用时要输入 QQ 号码和密码，如果没有 QQ 号可以轻点"注册"账号按钮申请。

03 输入完号码和密码后还可以设置登录的状态，有"在线"和"隐身"两种状态可供选择。在登录页还有自动登录等几个选项，如果可以记住密码，尽量少用这几个选项，避免隐私泄露。

多学一招

QQ有不同的状态，其中"在线"表示此时本人正在使用QQ进行聊天，"隐身"表示本人虽然正在聊天但是不想让别人看到自己在线，"忙碌"则代表此时本人很忙可能无法及时回复，"手机在线"表示此时本人正在使用手机登录QQ。

中老年人学iPad丨看就会（全彩畅销大字图解版）

7.1.2 如何查找和添加女儿的 QQ

登陆 QQ 之后需要添加好友之后才能够聊天，就和打电话一样，需要有对方的号码才能够通话，所以一定要学会如何添加好友，具体的方法如下。

01 登录 QQ 后会显示一个清新的界面，其中有台式电脑版式 QQ 的大部分功能。

02 轻点左侧的📇联系人图标，就可以打开好友列表，刚注册的 QQ 号还没有好友。

03 轻点添加好友图标，打开查找好友页面，在搜索框中轻点并输入女儿的 QQ 号。

04 搜索完成后会显示出查找到的用户，轻点右侧的"添加好友"按钮。

05 在添加设置了好友验证功能的QQ时，需要在弹出的添加好友框里输入验证信息。

06 输入完后轻点"发送"按钮，发送成功后轻点"完成"按钮，即可完成好友的添加。

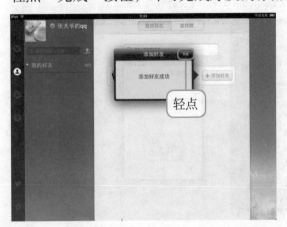

7.1.3 如何与远在国外的儿子聊天

　　加了好友之后就可以聊天啦。使用QQ进行聊天主要是通过文字进行交流，同时还可以使用各种表情和图片，或者给对方发送图片和文件。

01 轻点列表中的好友名字，即可与对方进行文字聊天，轻点文本框可输入文字。

02 轻点文本框右侧的☺表情图标，会弹出QQ自带的表情。轻点表情，即可在文本框中插入。

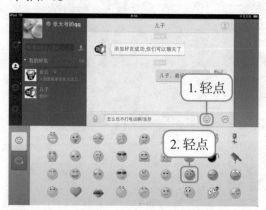

03 添加的表情在文本框中显示的是文字，只有发送成功后才会变成动态的表情。

04 轻点文本框右侧的向下按钮，此时会弹出一个工具栏，有多种功能可供用户选择。

05 若想在QQ上给儿子发送图片，可轻点图片按钮，弹出图片选择对话框。

06 在对话框中，用户可以在本机上轻点选择要发送的图片。

07 这时 QQ 会弹出照片修饰窗口，用户可以根据自己的需要对照片的风格进行修饰，然后轻点下方的"发送"按钮，就可以把图片发送给儿子了。

7.1.4 如何使用 QQ 的语音等功能

使用 QQ 进行聊天不仅可以通过文字进行交流，同时还可以使用语音的方式给对方发送一段语音，让对方可以听见自己的声音。

01 在与好友的对话界面中，轻点文本框左侧的话筒按钮。

02 轻点并按住不放"按住说话"按钮开始录制语音，当释放按钮后语音消息就自动发送出去了。

03 发出的语音也会按照对话的形式来显示，并同时会显示语音的时间。

04 同样也可以接收对方发过来的语音消息，轻点消息即可播放语音。

微信

微信是一款非常方便好用的聊天工具，是专门针对手机用户推出的。不过在 iPad 上使用也非常方便，特别是发送语音信息既方便又快捷。彻底解决了中老年人文字输入难的问题。

7.2.1 如何登录微信

在登录微信的时候需要先注册一个账号，不过微信为了方便大家，可以直接用 QQ 号码进行登录，这样就不用重新注册号码了。

01 下载并安装好"微信"应用程序。因为微信只有 iphone 版本，所以没办法横向使用。

02 如果已经有微信号码可以直接轻点"登录"按钮，如果没有，轻点"注册"按钮进入注册界面。

03 轻点"用 QQ 号注册"选项，可以使用 QQ 号码进行注册和登录，好处是可以将已有的 QQ 好友加入进来。

04 登录微信以后会进入微信的主页面，里面会显示好友等信息。

7.2.2 如何通过通讯录添加女儿微信

在没有任何好友的时候，我们是无法用微信进行交流的。如果我们知道对方的号码，我们就可以通过通讯录提供的功能直接将对方添加为自己的好友。

01 在"通讯录"页面中轻点"添加"按钮，进入"添加朋友"页面，然后轻点"搜号码"选项。

02 在打开的"搜号码"页面中，输入女儿的微信号码，然后轻点"搜索"按钮。

03 搜索完成后，会显示出搜索到的用户信息列表，轻点要添加的用户名称。

04 在打开的用户"详细资料"页面中，轻点"添加到通讯录"按钮即可完成添加。

多学一招

如果是使用QQ号码登录微信，可以很方便地将QQ中的好友设置成微信好友，否则就需要寻找好友的相关信息进行添加。微信中提供了很多添加好友的方法，但是对于老年人来说，添加好友需要谨慎，避免上当受骗。

7.2.3 如何通过微信与儿子聊天

通过微信可以很方便地进行交流，不但可以使用文字，还可以很方便地使用语言信息或者发送图片等。

01 通过轻点好友名字或在好友资料页面中轻点"发消息"按钮，即可进入交流的页面，轻点下方的文本框，即可输入文字。

02 输入文字后轻点"发送"按钮，即可发送消息。轻点文本框右侧的表情图标，也可在微信中像QQ一样使用各种表情。

03 与QQ类似，表情需要发出才能显示。轻点并按住屏幕下方的"按住说话"按钮，还可在交流中发送语音消息。

04 语音消息录入完毕后松开手指，语音消息就会自动发送给对方。在语音消息旁边显示有语音时长，轻点即可播放语音消息。

05 轻点文本框最右侧的➕功能按钮即可打开功能面板，通过该面板可进行如发送照片和位置信息、发起视频聊天等操作。

06 若想发送照片，只需轻点"照片"图标，然后通过拍照或是选取本机上的图片进行发送即可。

7.2.4 如何使用"发现"功能

　　微信最有趣的功能就是通过"发现"功能添加好友，在"发现"功能中可以进行很多操作，比如"扫一扫"可以用来扫二维码、火车票等。通过"附近的人"可以找到此时在你周边其他使用微信的玩家，而"漂流瓶"等可以收到陌生人发来的消息。其中最有趣的就是"摇一摇"功能，既好玩又方便，可以找到同时摇动 iPad 和手机的人。

01 轻点"发现"选项，可以打开"发现"面板，里面的内容有很多，除了可添加好友以外还可以玩游戏。这里我们只介绍"摇一摇"功能。

02 轻点"摇一摇"选项会打开一个定位服务对话框，轻点"设置"按钮进行定位。定位系统可以确定本机当前所在的位置。

03 进入 iPad "隐私"选项设置界面，可以看到定位服务选项，通过打开开关进行选择。

04 进入"定位服务"选项面板之后会显示出几个需要定位服务的选项，打开"微信"选项开关。

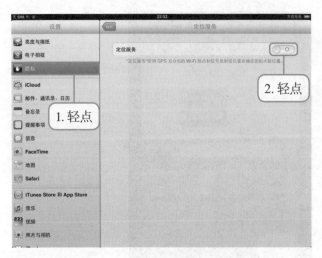

05 设置好定位服务之后，就可以进行"摇一摇"服务了。手拿着 iPad（一定要抓稳）左右摇动一下，听到"咔嚓"一声，就成功了。

06 在打开的面板中会显示此时同时在摇动手机或者 iPad 的人。不过这些人都是随机找到的，所以加好友的时候要谨慎。

7.2.5 如何删除微信好友

因为微信可以通过"发现"功能中一些好玩的功能来添加好友，所以可能会有很多人添加我们，我们也会通过这些功能加一些好友进来。不过这些好友并不一定都能聊得来，而且还有一些好友可能是为了销售或者宣传，也有可能会遇到一个非常无聊的人，这时候就需要将这些好友删除。

01 在微信通讯录的好友列表中轻点要删除的好友名字，打开其"详细资料"页面后，轻点右侧的更多按钮。

02 在弹出的选项卡中，轻点"删除"按钮，即可将该好友删除。在该选项卡中，也可进行标星、备注名等其他操作。

7.3 玩转新浪微博赶潮流

新浪微博是一个由新浪网推出，提供微型博客服务的类 Twitter 网站。用户可以通过网页、WAP 页面、手机短信 / 彩信发布消息或上传图片。

新浪网专为苹果 iPad 用户打造的新浪微博 iPad 客户端，可享受 iPad 独有的大屏触控体验，集阅读、发布、评论、转发、私信、关注等主要功能为一体，可随时随地同朋友分享身边的新鲜事。

7.3.1 如何登录与查看微博

微博就像是一个公开的微型日记簿，如果想要发表内容或者进行交流就要先登录微博，与登录 QQ 和微信一样，只需要输入用户名和密码就可以了。

01 下载安装新浪微博到 iPad 中，轻点以运行程序。

02 输入微博账号和密码轻点"登录"按钮。若没有账号可轻点"注册"按钮进行注册。

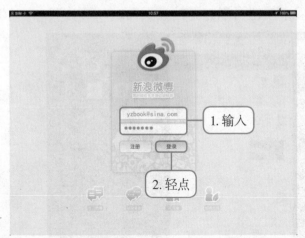

03 登录后进入微博首页，在这里可以看到自己关注的好友的最新消息。

04 轻点"图片"选项，可以将自己所关注的好友发布的所有有图片的微博显示出来。

05 轻点"原创"选项，可以将自己所关注的好友发布的原创微博显示出来。

06 轻点"视频"选项，则显示发布或转发的有视频的微博。

7.3.2 如何查找女儿的微博

　　如果想找到女儿或者儿子的微博，首先就需要知道他们微博的名字，然后通过微博的搜索功能就可以方便地找到了。

01 在新浪微博的首页，轻点左侧工具栏上的搜索按钮可以打开搜索页面。

02 在搜索页面输入需要搜索的文字，然后轻点"搜人"按钮即可得到搜索结果。

中老年人学iPad 一看就会（全彩畅销大字图解版）

7.3.3 如何发表新微博

发表微博和发表文字很短的文章一样，只要写好文字内容，然后发表就可以了。不过微博比较方便地是可以发表图片等内容。

01 在浏览微博时，轻点界面左下角的"新微博"按钮☑即可发布新的微博。

02 打开新微博页面，填写自己要发表的微博内容。

03 轻点文本框下端的"照相"按钮，可以通过 iPad 的摄像头拍摄照片。

04 拍下照片后可以选择相应风格的照片修饰照片的效果，然后轻点对勾按钮。

05 风格确定后，照片就会以缩览图的形式附在微博的文本框中。

06 轻点"表情"图标，可将表情输入到微博的文本内容中。

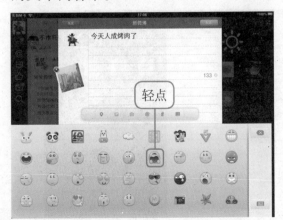

07 微博内容确定好后，轻点文本框上的"发布"按钮，就可以发布微博了。

08 发表新微博后，系统会提示发布成功，这样就可在微博首页中找到发布的微薄。

7.3.4 如何查看我的微博

在微博上是可以互动的，也就是说别人看了我们的微博后可以发表他们的感想和评论，通过查看自己的微博可以找到这些内容，当然也可以看到我们给别人的评论。

01 轻点左侧工具栏中的@图标，可以查看所有提到我的微博信息。

02 轻点评论图标，可以查看别人给自己的微博的发表的评论和自己给他人的评论。

03 轻点搜索图标，可以搜索与关键字有关的信息。

04 轻点微博广场图标，可以按不同的类型或关键词查看微博。

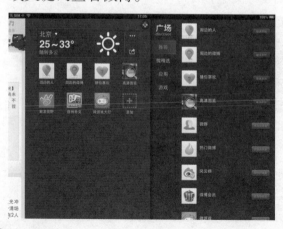

中老年人学iPad 1看就会（全彩畅销大字图解版）

7.4 邮件通讯很简单

邮件通讯和日常中给儿女们写信是一样的，只不过我们日常中是通过邮局收发信件，而此时是使用iPad来完成的。iPad自带邮箱系统，无需安装任何软件即可设置邮箱；而且可以设置多个邮箱，以方便用户对邮件进行收发处理。

7.4.1 如何添加默认的邮箱账户

邮箱和其他的网络交流工具一样，都需要一个惟一的地址，就和现实生活中的门牌号码一样。而登录邮箱账号的意思就是保证房子里有人，只有这样才能够发送和查看接收到的电子邮件。

01 在主屏幕中轻点"设置"图标，打开后轻点"邮件、通讯录、日历"选项。

02 轻点选项面板右侧的"添加账户"选项后，会弹出常用邮箱服务商列表。

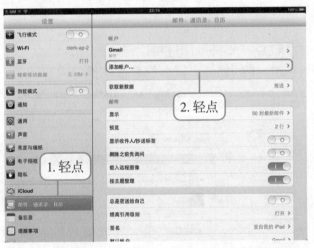

03 用户可以在这里填写电子邮件必须的参数属性，如电子邮箱账户和密码等。

04 填写完毕后，会出现邮箱在 iPad 中的一些属性，轻点"存储"按钮。

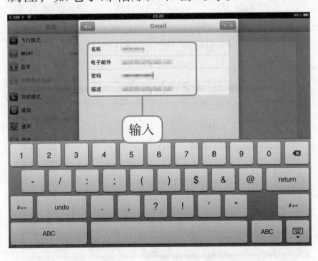

05 如果用户想要删除相关账户，可以在"邮件、通讯录、日历"选项下找到相应的选项，轻点后，就会出现删除邮箱账户的对话框。

多学一招

iPad提供了默认的一些邮箱服务商，比如yahoo等，不过大家很多时候常用的可能是其他的邮箱。所以最好不要注册过多的邮箱，避免使用混乱，发生发错文件，找不到文件等问题。

7.4.2 如何读取与发送电子邮件

读取和发送邮件是邮箱最基本的功能，也是最重要的功能，通过读取邮件可以阅读别人发给我们的信件，而通过发送邮件可以给别人送出信件。

01 当邮件系统收到邮件后，会通过主屏幕下方的"邮件"图标提醒。

02 轻点"邮件"图标可以进入邮箱，轻点"收件箱"中的邮件，就会打开该邮件的内容。

03 轻点"新建邮件"按钮，打开新邮件对话框，可用电子邮件的形式，给亲朋发送祝福。

04 发送邮件的时候在空白地方轻点，可打开工具栏。

中老年人学iPad｜看就会（全彩畅销大字图解版）

05 轻点"插入图片或视频"选项，可以打开图片选择对话框，在其中选择要发送的图片。

06 内容选择好后，轻点右边的加号按钮，可以添加其他联系人。

7.4.3 如何回复电子邮件

回复邮件是邮箱最常用的一个操作之一，在收到别人的来信的时候，可以通过回复邮件功能直接给对方回信，既方便又不容易出错。

01 如果要回复邮件，只需在界面的右上角轻点按钮，并选择"回复"选项。

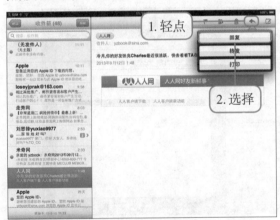

02 输入要回复的信息内容，然后轻点"发送"按钮。

03 在"已发送"文件夹中可以看到自己已经回复过的邮件。

04 轻点其中的邮件标题，可以打开查看自己回复的邮件内容。

7.4.4 如何删除电子邮件

当邮件过多，或者有一些人发来了一些没有用的广告邮件的时候，可以通过删除邮件的方式把这些邮件删除。

01 在邮箱界面中轻点"收件箱"选项，打开收件箱文件夹。

02 轻点选择"收件箱"中的邮件标题，在右侧选项面板中可以看到收到的邮件。

03 轻点收件箱列表上的"编辑"按钮，可以删除或移动所选中的邮件。

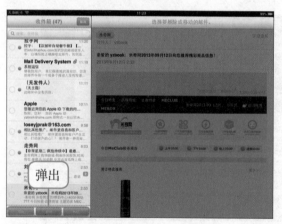

04 轻点选择要删除的邮件，轻点下方的"删除"按钮。

05 删除的邮件被移出"收件箱"，并被放到"废纸篓"文件夹下。

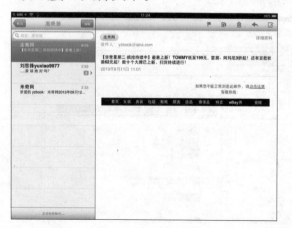

06 也可在阅读完邮件后，如果要删除该邮件，可以轻点页面上方的 🗑 删除垃圾桶图标。

Chapter 08 休闲娱乐样样全

 张爷爷

李奶奶啊，最近怎么没有过来找我们打麻将啊？

 张爷爷

你不闷得慌吗？

怎么会闷呢，我最近在用 **iPad** 玩游戏呢，不但可以打麻将，还可以斗地主、下象棋！

 李奶奶

 李奶奶

而且还有很多你没玩过的游戏呢，比如愤怒的小鸟、切水果，可好玩了。

益智游戏是指那些通过一定的逻辑或是数学、物理、化学，甚至是自己设定的原理来完成一定任务的小游戏，可以锻炼游戏者的脑、眼、手等，增强人们的逻辑分析能力和思维敏捷性。值得一提的是，优秀的益智游戏娱乐性也十分强，既好玩又耐玩。本节就将介绍几款经典的益智游戏。

8.1.1 如何玩愤怒的小鸟游戏

"Angry Birds Rio"这款游戏是开发商和电影公司合作的产物，Rio是一部20世纪福克斯电影公司推出的动画电影。游戏则是讲述小鸟们将被绑架到一座魔法城市，它们要一路躲过捕猎者的追踪，救出自己的同伴Blu和Jewel这两个《Rio》电影中的主角。游戏保持了一贯的系列画面风格，玩家可以在游戏中看到那几只无比熟悉的Angry Birds。同时借助电影内容的游戏场景，玩家可以领略到电影《Rio》中的一部分剧情。

01 下载安装好愤怒的小鸟，轻点图标运行程序。运行后轻点开始按钮。

02 第一次进入游戏，每种模式只有第1关可选。轻点第3列海滩背景的模式。

03 进入游戏后，轻点屏幕，小鸟会自动跳到弹弓上，然后用手指拖动小鸟，使小鸟弹射出去，目标是把那些猴子炸掉。

中老年人学iPad丨看就会（全彩畅销大字图解版）

04 这个游戏比较讲究技巧，要使一次弹射的小鸟撞击更多的猴子。如果所有的小鸟都用完还没把全部猴子炸掉，则游戏失败。

05 游戏过程中轻点屏幕左上角的暂停按钮，可以打开操作菜单，在这里可以重新开始本关游戏，也可以返回主菜单。

06 一关结束以后，轻点相应的按钮，即可以进入下一关，也可以重新玩这一关或者返回主菜单。

多学一招

如果你喜欢这个游戏，但又有一些关卡无法通过时，可以上网搜索一下相关的攻略教程。

8.1.2 如何玩找茬游戏

大家来找茬的游戏是一款老少皆宜的游戏，它不但操作流程非常简单，而且非常有趣。既考验人的眼力也锻炼人的思维。

01 下载安装好"找茬大冒险"游戏，轻点图标运行。运行后轻点"开始游戏"按钮。

02 进入游戏之后有"奇趣森林"和"梦幻峡谷"两个选项，轻点选择奇趣森林。

03 进入游戏后可以看到带有编号的萝卜图标，轻点选择第一关。

多学一招

进入游戏界面之后会有一个游戏帮助界面，它会教大家怎么样操作该游戏。

04 游戏正式开始之后会显示左右两幅图画，要在这两幅图画中找出五个不同的地方。在页面的下面有一个爬动的瓢虫，整个游戏要在瓢虫走到对面之前完成。

05 等看到两个不同的地方之后，比如牛尾巴的毛色不同，在左右任何一个画面中轻点不同处即可找到一处不同。此时会出现红色的圆圈标记。找出五处不同即可过关。

8.1.3 如何在 iPad 上打台球

台球一直是一种高雅的游戏，虽然现在外面有不少台球室可供人娱乐，但是那些都是年轻人的地方，并不适合老年人。而 iPad 中的"台球帝国"游戏却可以让老年人也可以体验到台球的乐趣。

01 下载安装好"台球帝国"，轻点图标运行。可以选择联网对战，也可以进行单机对战。轻点"单机模式"运行游戏。

02 接下来用户可以查看个人信息、排行榜和规则。如果要开始游戏，只需轻点"开始游戏"按钮。

03 进入游戏后，在屏幕左右会有两个金属拨盘，可用于调整白球的位置。

04 调整好击球角度后，轻点屏幕上方的白色球，选择击球点。

05 向后拉动球杆，在屏幕上方会出现力量示意图，用于控制击球的力度。

06 如果打入目标球，则会有奖励分，如果白球入袋，则会扣分。

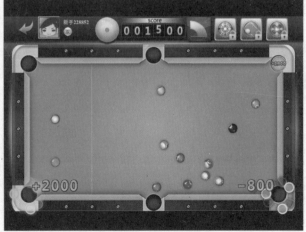

网络上有一句话流行说"吃饭、睡觉、打豆豆",可见打豆豆的游戏有多么的普及。终极版打豆豆是这个游戏系列中的一个版本,通过轻点屏幕上网格的方法可以将某些豆豆消去。这个游戏既不用学习和熟悉各种复杂的操作,也不用进行过多复杂的设计和规划,只需要非常简单地操作和思考就可以完成。而同时游戏的趣味性非常高,只需在规定的点击数内完成,并取得好成绩。

中老年人学iPad | 看就会(全彩畅销大字图解版)

01 下载安装好游戏后,轻点图标运行游戏,选择游戏等级 SET A。

02 进入某一级别的游戏后,可以看到关卡选择界面,轻点选择关卡带锁的关卡无法选择。

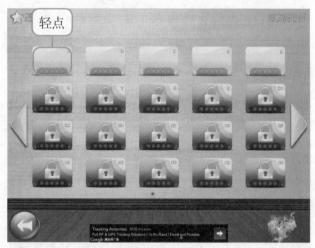

03 进入到游戏难度选择页面,里面有 5 个选择的按钮,难度依次增加。按钮上的数字代表着矩阵方格的数目,数目越大难度越高。

04 在某一个空白的空格中轻点,如果在空白方格所在的四个方向上遇到的四个豆豆中有颜色相同的,则相同颜色的豆子会缩到被轻点的空格中并消去。

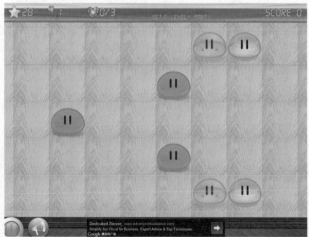

⑤ 经过轻点空格之后，豆豆的数目逐渐减少直至剩余两个豆豆。

⑥ 当消去最后两个豆豆后会进入关卡的选择界面，轻点右侧箭头进入下一关。

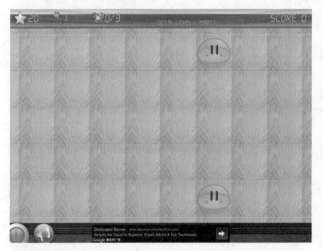

8.1.5 如何玩米诺拼图游戏

　　"Zentomino" 米诺拼图是一款简单易玩，但需要有丰富想象力的拼图游戏。选择一个拼图去解决，并尝试完成选择好的形状，不能有任何重叠的部分。游戏里有超过 200 个拼图，包含多种困难水平，预览图中可看到所有已完成的拼图全貌。还有舒缓的背景音乐让你乐在其中！

① 下载安装好游戏，并轻点运行。该游戏有点难度，因为他的图块可以转动角度，所以要有更好的想象力。

② 游戏时可以把最复杂的图块先拼接起来，轻点一下小图块会旋转 90° 角，轻点两下则水平反转图块。

③ 这几个图块肯定是可以拼接起来的，只不过需要调整每个图块的角度和位置。

④ 拼好的图形会显示在选关页面，用户可以随意选择图形来拼。

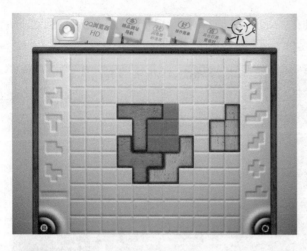 

8.1.6 如何玩祖玛游戏

龙珠祖玛

　　这是一款非常简单且好玩的游戏，玩家只需要做两件事，找到与龙头要发射的圆球颜色一致，且连续较多的圆球。然后在合适的时间将圆球发射出去消除这些圆球，非常适合老年人玩。

01 安装并运行游戏，打开游戏的首页，轻点"冒险模式"按钮进入游戏。

02 在打开的游戏选择列表中，只有完成前面的关卡才能进入后面的游戏。

03 选择进入第一关之后会显示一个弯曲的通道，在通道的一端会出现各种各样颜色的圆球。在界面的左下方有一个龙头，在龙头的顶部也会显示一个球。轻点屏幕可以将龙头中的圆球发射出去，如果圆球射入相同颜色的3个或3个以上的圆球中，这些圆球就会消去。不停地消除这些圆球，直到再没有圆球出现为止。

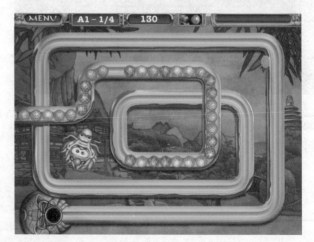

8.2 棋牌游戏需动脑

棋盘游戏和牌类统称棋牌游戏。现代棋牌游戏以休闲为主，在华语区影响较深的主要有扑克、斗地主、麻将、中国象棋、中国跳棋、军棋、黑白棋、五子棋等。

8.2.1 如何在 iPad 上斗地主

 斗地主是一项娱乐性极强的纸牌类游戏，需要玩家不断地与周围的另外两个玩家联合或者单打独斗。它的游戏规则简单，上手容易，更为关键的是，它非常适合老年人。

01 下载 "QQ 斗地主" 游戏，轻点运行游戏，可以选择 "单机游戏" 或 "联网游戏"。

02 进入游戏后，根据自己的牌面，看是否需要 "抢地主"。

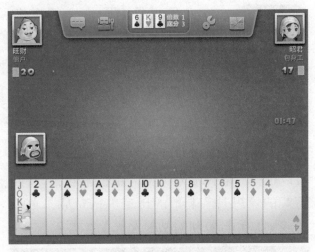

03 游戏过程中可以选择出牌、不出牌或者提示出牌。

04 也可以用手指轻点或滑动选择要出的牌，然后轻点 "出牌" 按钮。

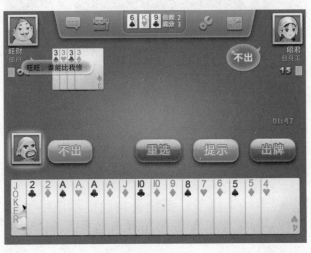

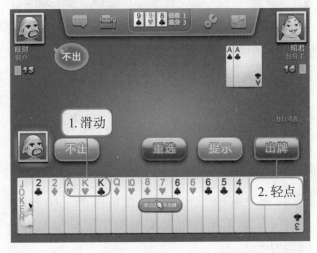

05 在 "设置" 选项界面中，可以对游戏时的音乐和音效进行选择。

06 也可以用系统自带的语言与其他玩家进行交流。

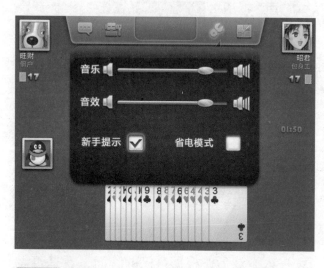

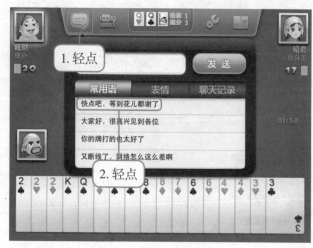

8.2.2 如何在 iPad 上下象棋

象棋是中国古老的棋类游戏，在中国具有非常深厚的文化基础。它属于两人对抗性游戏的一种，由于用具简单，趣味性强，是流行极为广泛的棋艺活动。象棋也是很多老年人娱乐的一种工具，不过由于现在都市的限制，想找到一个棋友比较困难，而且一些老人很难找到符合自己水平的对手。但在 iPad 中却可以满足这些需求。

01 下载"中国象棋"，然后轻点进入游戏，可以选择"联网游戏"或"单机游戏"。联网游戏的意思是和其他的玩家进行对战，单机游戏则是和计算机对战。

02 用户可以根据自己的水平，选择不同的游戏级别。这个游戏的难度还是挺大的，建议大家从"初级"开始玩。

03 轻点"开始"按钮后，就可以进入游戏的操作了。在操作界面中主要使用就是右侧的各种功能按钮。

04 轻点一个棋子，系统会自动提示该棋子可以移动的位置。在相应的位置轻点一下即可完成相应操作。

中老年人学iPad 1看就会（全彩畅销大字图解版）

05 游戏中也可以调节音乐和音效以及对局时间等。如果是和其他的老人进行对弈，还可以使用"聊天"等功能。

06 游戏中还有悔棋功能，不过只有5次机会，用一次少一次哟。

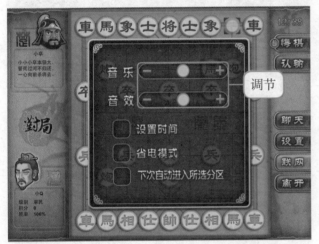

8.2.3 如何在 iPad 上打麻将

麻将流行于华人文化圈中，不同地区的游戏规则稍有不同。麻将的牌式主要有"饼（文钱）"、"条（索子）"、"万（万贯）"等，可以说麻将牌实际上是一种纸牌与骨牌的结合体。与其他骨牌形式相比，麻将的玩法最为复杂有趣，它的基本打法简单，容易上手，但又变化极多。麻将的规则很多，不同的地区所采用的麻将规则而也不同，在 QQ 麻将中使用的是 QQ 游戏所制定的规则，刚开始的时候可能会对这些规则不熟悉，需要经过一段时间的磨合才可以适应。

01 下载安装"QQ 麻将"，轻点图标运行。运行后需要使用 QQ 号码和密码才能登录。如果不想让人知道自己在玩游戏，也可以在 QQ 聊天软件里设置一下。

02 接着进入游戏，用户可以选择多人对战游戏，这样就如同平时打麻将一样。大家也可以联系自己的牌友，一起进入游戏，玩起来会更有意思。

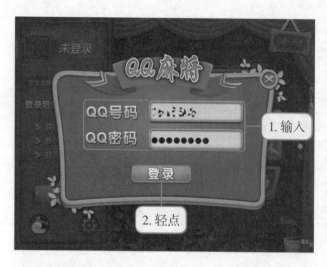

03 麻将提供了各种操作方式，比如常见的吃牌、碰牌、杠牌等操作。

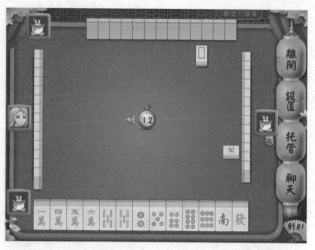

04 麻将牌进入听牌后轻点"听"按钮，就可以自动摸牌了。

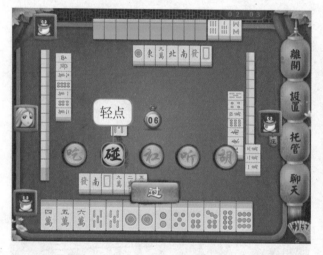

05 如果游戏中有人出牌比较慢，还可以发送聊天语言对其进行催促。

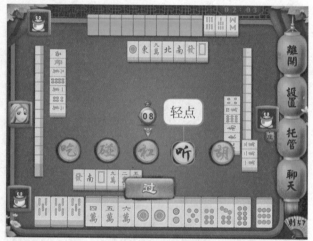

06 手气好，自摸胡牌，三家每家减10分。看来还可以继续下去。

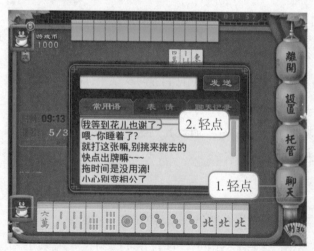

8.2.4 如何在 iPad 上玩接龙游戏

　　Windows 自带的接龙游戏，规则简单非常适合老年人玩，但对于大多数不熟悉鼠标的老年人而言，就显得有些复杂。而 iPad 中也有这样一款游戏，游戏规则与电脑中的相同，但操作更加简单，只需轻点或简单地拖曳即可。

01 下载"接龙"游戏后，轻点进入游戏主界面，整个界面与 Windows 系统的界面相同。

02 轻点右下角的"游戏"按钮，就可以开始新的游戏。

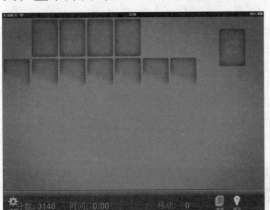

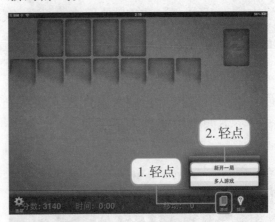

03 用户按照最常用的轻点或者拖曳，就可以让牌自动移动到相应的位置，非常方便。

04 如果操作合理，将牌按顺序排列，一会就可以将牌理顺。眼看胜利在望了。

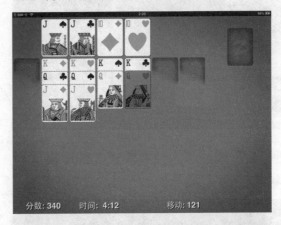

05 如果完成游戏，将会出现最终的得分以及时间。

　　顾名思义，休闲游戏就是一些小型的游戏，适合在休闲空余时间把玩的游戏。此类游戏非常容易上手，操作也非常简单，无需太多技巧即可过关。

8.3.1 如何玩切水果游戏

Fruit Ninja HD

　　"Fruit Ninjac（切水果）"是一款简单的休闲游戏。主要内容是切掉屏幕上不断跳出的各种水果，如西瓜、凤梨、猕猴桃、草莓、蓝莓、香蕉、苹果等。游戏过程中要求玩家动作速度要快、准，并避开炸弹，是一款非常耐玩的游戏。

01 下载并运行游戏。游戏首页有几种水果按钮，通过划切可以执行它们。首先进入游戏，用手指划一下西瓜按钮进入下一页。

02 在这个页面中可选择游戏模式，西瓜按钮是普通的经典模式（漏 3 个水果未切或切到炸弹即结束），苹果是倒计时模式（90 秒时间），香蕉是街机模式（60 秒时间，有炸弹）。

03 划切西瓜按钮进入经典模式，随即提示开始游戏。

04 游戏开始后要挥动手指，快速划切出现在屏幕上的水果，不能让水果掉下来消失。

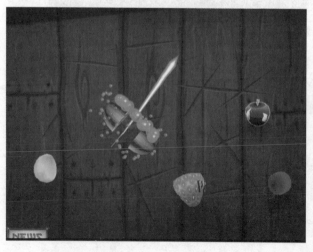

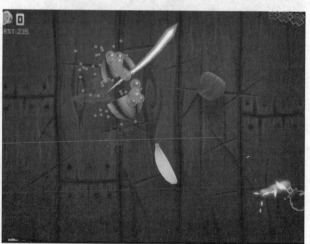

05 当屏幕上出现炸弹时，不能去划切它，让他掉下来消失，如果不小心划切到炸弹，将结束游戏。

06 每次游戏不能漏切 3 个水果。屏幕的右上方可以看到已漏切的个数，经典模式下一个水果记一分。

漏切数

07 如果不小心切到炸弹或漏切三个水果后，游戏结束。

08 游戏结束后如果要重新来一次的话划切苹果按钮。退出则划切炸弹按钮。

1.重新开始

2.退出

09 在游戏进行过程中，轻点屏幕左下方的 ▮▮暂停按钮可以暂停游戏，暂停后轻点▶开始按钮继续游戏，轻点↻重新开始按钮则重新开始该模式游戏。

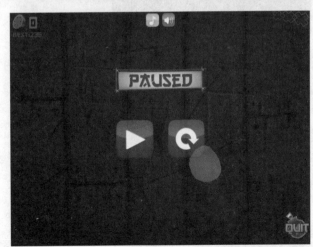

⑩ 游戏结束或者暂停时可以划切炸弹按钮返回主界面。界面上有一个草莓按钮，这个是双人对抗游戏，划切该按钮进入游戏。

⑪ 双人游戏有两种模式，分别为经典模式和计时模式。轻划相应的水果，即可进入相应的游戏模式。

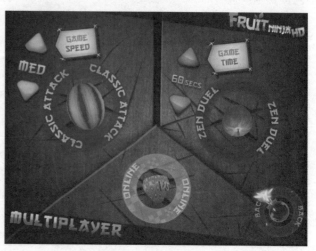

⑫ 对抗模式需要两个人一人占一半屏幕，一方切到炸弹或漏切三个水果就算输。

⑬ 最后分出胜负和分数对比。在此页面可以退出游戏，也可以重来一次。

⑭ 在游戏页面的首页中，划切左下角的芒果按钮，进入道场设置页面。

中老年人学iPad1看就会（全彩畅销大字图解版）

⑮ 划切菠萝图标，就可以进入刀具的选择页面。

⑯ 在这个页面中可以选择不同的刀具，带锁图标是暂时不能使用的刀具。

⑰ 选定刀具后，划切菠萝图标确定使用该刀具。完成后划切"炸弹"图标退出设置。

8.3.2 如何用 iPad 挖宝藏

　　"宝藏猎人"是一款挖宝藏的游戏，每关有指定的要求，必须通过挖宝藏获取更多的金钱来达到目标。每关开始都会有辅助道具可以购买，使用正确的道具可以让你更快达到目标。

⓪① 下载安装好"宝藏猎人"游戏，轻点图标运行游戏。运行后轻点"点击开始"按钮。

中老年人学iPad I看就会（全彩畅销大字图解版）

02 轻点"新的游戏"开始新游戏。如果在此之前玩过这个游戏，可以轻点"继续游戏"继续之前的进度。

03 轻点"新的游戏"按钮后，首先会看到游戏界面的说明和游戏规则方法。轻点屏幕任意位置进入游戏。

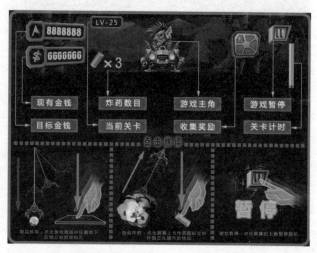

04 首先是"关卡1"，页面中说明了本关要实现的目标钱数和限时（游戏时间）。轻点屏幕开始游戏。

05 游戏开始后，要控制好挖矿钳的角度使钳子能准确地挖到金矿。当挖矿钳摇摆到合适角度时，轻点屏幕即可伸出挖矿钳。

06 如果挖矿钳的角度没掌握好，就会挖到石头矿，石头不值钱，且挖到越大的石头花费的时间越多，所以要尽量避免挖到。

07 运气最不好的是挖矿钳脱钩，就是挖矿钳伸到没任何东西的空隙上了，这样得不到任何东西，且浪费时间，所以也一定要避免。

08 游戏过程中，最好先把大块的金矿挖起来，越大的金矿越值钱，但同时大金矿会花费更多的时间，所以也要注意时间。

09 当游戏时间结束后，如果挖到的金矿数（钱数）达到目标钱数，即可进入下一关。

10 有了金钱以后，可以购买一些道具，如"幸运花"，它可以使通关时得到东西的几率增加。

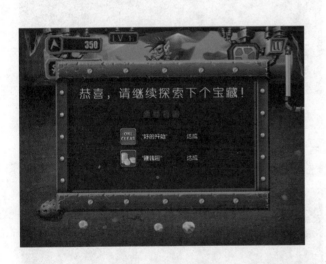

11 在下一关开始时同样会提示目标钱数和时间，只有到达目标钱数才会过关。

12 游戏进行过程中，可以轻点右上角的暂停按钮暂停游戏或者返回菜单。

8.3.3 如何用 iPad 猎鱼

"猎鱼高手HD"是最精致的捕鱼游戏，在辽阔的海洋里翱游撒网，听着哗啦啦收集金币的声音，享受收获的快感！享受视觉与听觉双重的饕餮盛宴！开启精致宝箱还可以获得可爱的玩偶，游戏的精致与贴心设计一定会让你爱不释手！

01 下载并运行游戏。首次游戏系统默认给出200金币作为捕鱼的本钱。轻点屏幕中间的"开始游戏"按钮进入游戏。

02 进入游戏后，可以看到很多游来游去的鱼，这时就可以对着鱼撒网了，轻点对应的鱼群即可撒网。

03 撒鱼网时要注意，炮口前面不要有大鱼挡住，否则很难成功。因为大鱼较难捕捉，同时还会影响捕捉小鱼。

04 捕捉不同大小的鱼要分大网和小网，大网要的钱数较多，最小是1个金币一网。轻点 ⊟ 或 ⊞ 按钮可以调节网的大小。

05 对于初学者来说，建议开始时先用小网，捕一些小鱼，熟悉熟悉操作技巧。

06 用大网可以捕到大鱼，这样所得的金币就会更多，但大鱼比小鱼要难捕获。

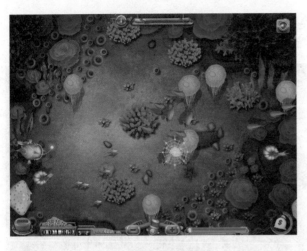

07 游戏过程中，可轻点屏幕右上角的拍照按钮，可保存和分享游戏画面。

08 也可以轻点屏幕左下角的红色暂停按钮暂停游戏。

8.3.4 如何玩破坏者游戏

　　"破坏者 2"是国人开发的一个休闲游戏系列，二代在一代的基础上大大提升了游戏品质。游戏采用全新 3D 制作，画面效果更加逼真，视觉冲击力更强！主题人物也进行了重新设定，使游戏更加风趣可爱。

01 下载并安装好"破坏者 2"游戏，然后运行游戏。轻点"开始游戏"按钮。

02 选择游戏关卡。首次进入游戏，只能选择有限的几个关卡。

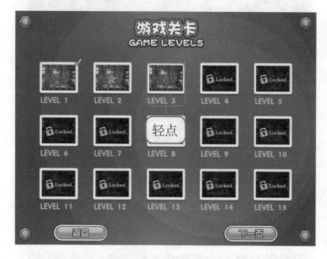

04 轻点木块可以使木块消失，但要考虑婴儿掉落时的重心和动力因素，确保婴儿不掉到地上，否则游戏就结束了。

03 把木块破坏掉，并且不能使最上面的婴儿掉到地上，而要在白色金属块上面。

05 消除所有木块，使婴儿在金属块上，并平稳落地，这样就顺利过关了。

06 随着关数的增加，难度会越来越大，必要时，还可以使用右边的道具。

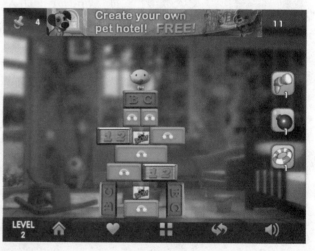

07 有时候可以用跌落的动力或弹力因素，使婴儿最终在金属块上。

08 只要婴儿在金属块上，就能顺利过关。后面的某些关卡，可能会同时出现两个婴儿。

中老年人学iPad I 看就会（全彩畅销大字图解版）

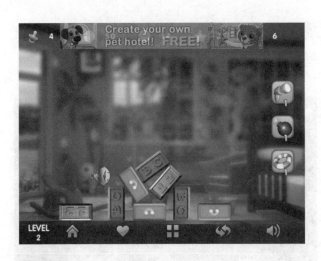

8.3.5 如何玩天天连萌游戏

现今最流行的游戏之一，是一款非常经典的连连看小游戏。游戏的玩法很简单，分别轻点两个相同的图片，如果连接这两个图片的线段不超过三条且不碰到其他图片，则消除，全部消完就过关，还可以和老友一起玩哦。

01 下载安装好"天天连萌"游戏，轻点运行程序，使用 QQ 号进入游戏。

02 在游戏的最开始是一个简单的指导部分，通过这部分可以了解游戏的操作等。

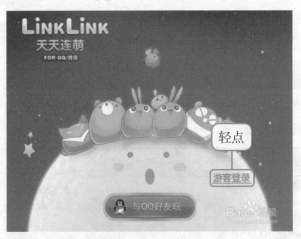

03 轻点两个相同且连接它们的线段不超过三条的图标，即可消除掉相应的图标。

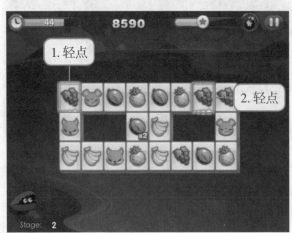

04 在游戏界面的顶部显示着游戏的剩余时间和分数，在有限的时间内消除多的图标的即为胜利者。

05 快捷轻点图标，在有限时间消除越多的图标，分数越高。

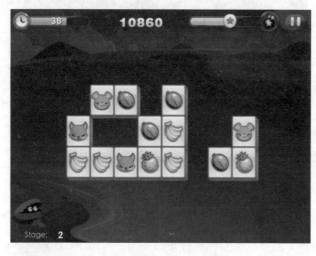

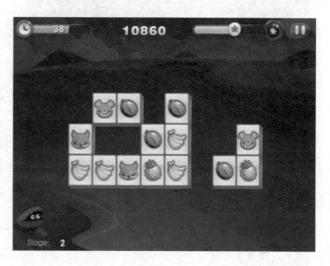

8.3.6 如何玩泡泡龙游戏

"Bubble Mix 3 in 1（泡泡龙三合一）"由三个泡泡主题的游戏组成，第一个泡泡射击很有趣，玩家只要控制炮台把泡泡发射出去即可，三个颜色相同的泡泡就会消除；第二个游戏的玩法和连连看差不多，也是消除类游戏玩法；第三个游戏直接把泡泡变成了"俄罗斯方块"。游戏操作与规则都非常简单，很适合中老年人玩。

01 下载安装好游戏，轻点图标运行游戏。这是一款非常经典的小游戏，本游戏集成三种模式。

02 先来看看第一种"Shooter"模式。游戏方法很简单，发射泡泡到上面落下的同颜色的泡泡上。

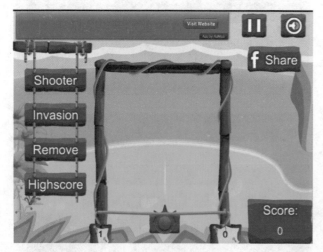

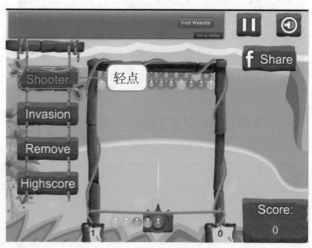

03 泡泡发射到上面同颜色的地方后，上面的泡泡若组合成3个或3个以上同颜色的泡泡，这些泡泡就会消失。

04 上面的泡泡会不断的出现，所以发射泡泡的速度要快。发射器上的泡泡若是双色的，那这个泡泡即是可变色的泡泡。

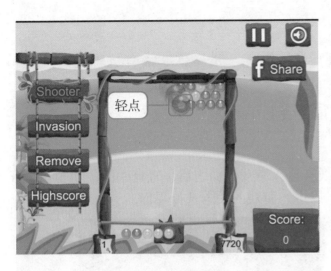

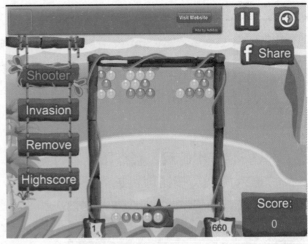

05 轻点菜单栏中的"Invasion"按钮，此时有两个以上连接的泡泡就可清除。

06 此模式的目标是不让泡泡堆积过高，如果过高顶到上面的横梁，游戏就结束了。

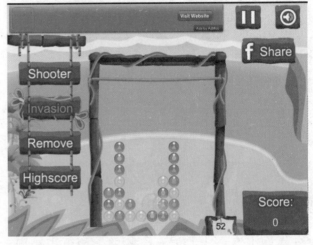

07 轻点屏幕左侧菜单栏中的"Remove"按钮，进入第3种游戏模式。此模式一开始游戏区会布满泡泡，用户要做的是轻点两个或两个以上连在一起的泡泡以消除它们。

08 最终目标是使屏幕上尽量少地留下零散的泡泡，留下的泡泡越少，得分越高。左边菜单栏中的第4个按钮用于连接到远程服务器进行游戏，这里不讲解。

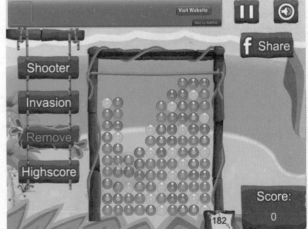

"Swampy free（鳄鱼小顽皮爱洗澡）"是一款非常有意思的游戏，它与连连看等其他游戏完全不同，是一个全新的益智类游戏。它的界面非常精美，操作非常简单，非常适合老年人玩。

01 下载安装好本游戏，轻点图标运行游戏。轻点"进入游戏"按钮即可进入开始游戏。

02 进入游戏界面之后，轻点中间的小窗口可以进入游戏的关卡选择界面。

03 界面上有泥土和岩石等物品，用手指轻划可以消去泥土，让水流下来。

04 当水从顶部的区域流到小鳄鱼所在的洗澡房上面的水管中后，游戏即完成。

Chapter 09 读书购物真方便

 张爷爷

> 我正准备去买书，可是书店好远啊，来回要两个小时。

 张爷爷

> 李奶奶，我看你经常看书，要不一起去吧？

李奶奶

> 张爷爷，你太老土了，看书和买书都可以用 **iPad** 啊。

李奶奶

> 而且很多书还都是免费的，看起来也很方便。即使是你想买书也可以在 **iPad** 上买啊，要便宜很多呢！

iPad中的iBooks应用程序是可应用于各种苹果设备中的一个很棒的阅读和购买书籍的工具。安装iBooks后，你便可以从内置的iBookstore中获得所有经典和畅销书籍了，而且这一切都是免费的。你可以像管理自家书架一样管理这些书，而且你只要轻点某本书，就可以开始阅读了。

9.1.1 如何使用 iBooks 下载图书

下载图书是使用iBooks的第一步，在苹果iPad的书店中已经预先保存了大量的图书，可以免费下载，不过这些图书大多数是英文版的。

01 下载并安装好 iBooks 程序到 iPad 中，轻点图标运行程序。

02 第一次运行程序时，书架上是没有书的。轻点左上角的"书店"按钮可寻找书。

03 进入书店后可根据类别寻找自己需要的图书，然后轻点选择图书。

04 在打开的页面，轻点"免费"按钮，当变为"获取图书"后再轻点一下。

05 此时图书会放入书架，并进行图书内容的下载。

06 当图书下载完成后，进度条消失，并出现新增字样。

中老年人学iPad｜看就会（全彩畅销大字图解版）

07 也可以先获取图书的样本，看看是否适合自己。选择图书后轻点"样本"按钮。

08 获取的样本图书同样会放在书架上，并且有"样本"字样提示。

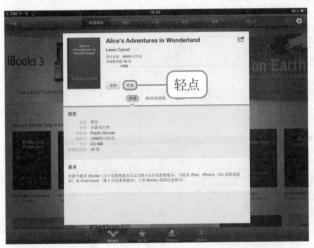

09 轻点书店右上角的搜索栏，在其中可以输入需要搜索的图书名称进行搜索。

10 进入书店后也可以根据类别寻找自己需要的图书，接着轻点需要下载的图书封面。

11 此时图书同样会放入书架，并进行图书内容的下载。

9.1.2 如何使用 iBooks 阅读图书

使用 iBooks 阅读图书和现实中阅读图书很像，图书的显示形式也和平常的图书差不多，翻页的方式也差别不大，不过 iBooks 提供了很多更方便的功能。

01 在书架上轻点一下图书即可将其打开，轻点一下打开的页面可出现操作菜单。

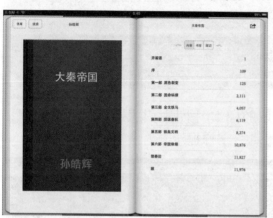

02 模拟翻书的动作可以进行翻页，可向前或向后翻页。

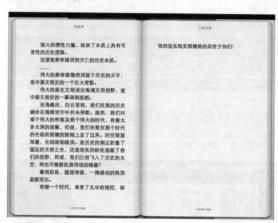

03 轻点并拖动页面下方的虚线可以跳转页面，随着拖动会显示相应的页面信息。

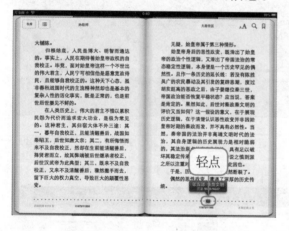

04 找到需要查找的页面之后，释放手指可以转到该页。

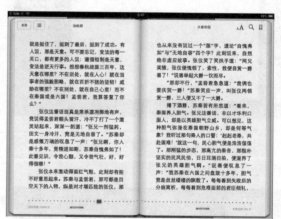

05 轻点左上角书库旁边的 ≣ 目录按钮，可以打开本书的目录内容。

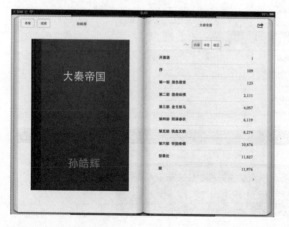

06 轻点目录的章节，可以快速跳转到相应章节内容。

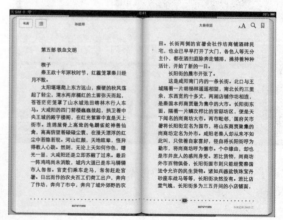

07 轻点页面右上角的字符图标可以调整页面的显示亮度以及页面字号的大小。

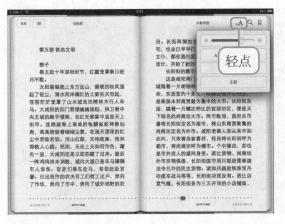

08 轻点字母 AA 按钮可以调整页面字号的大小和样式，大 A 放大，小 A 缩小。

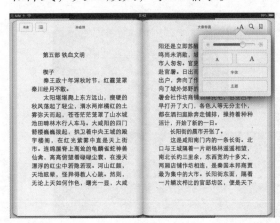

9.1.3 如何使用 iBooks 整理书架和图书

整理书架相对来说就比较简单了，常用的功能有两个，一个是对书架进行分类，另一个是删除不需要的图书。

01 轻点左上方的"收藏集"按钮，可以选择不同的书架类型。

02 轻点书架右上角的"编辑"按钮，可以打开编辑窗口对图书进行相应操作。

03 在编辑窗口中可以对图书进行移动、删除等各种操作。

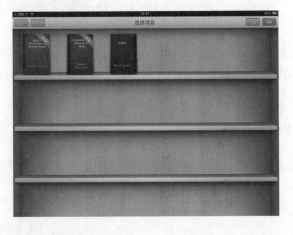

04 若需要对某一本书进行操作，首先要轻点图书封面选择该图书。

05 轻点"移动"按钮打开移动图书的控件，在其中可新建图书分类。

06 选择或者新建图书分类后，就可以将图书移动到新的分类书架中了。

07 选择不需要或者不喜欢的图书，轻点"删除"按钮，在打开的列表中选择"删除"选项，可以删除相应的图书。

9.2 海量电子书任我挑

如今，可以在iPad中安装的各类电子书不记其数，有单本著作图书的应用程序，也有系列图书的应用程序，只要你能想到的，就可以搜索到。本节将介绍如何使用可单独安装的图书程序。

9.2.1 如何使用iPad读《三国演义》

《三国演义》是一部历史演义小说，是中国四大名著之一，以描写战争为主。在广阔的时代背景下，上演一幕幕波澜起伏、气势磅礴的战争场面，成功刻画了一千多个人物形象，其中包括曹操、刘备、孙权、诸葛亮、周瑜、关羽、张飞、赵云等脍炙人口的人物形象。已有无数的人阅读过这部小说，极力推荐没有阅读过的朋友阅读，保你回味无穷。

01 下载安装好"三国演义"，运行进入书籍阅读程序，在书架中轻点图书封面进入阅读。

02 轻点目录中第一回的标题，可以进入小说的第一回正文。

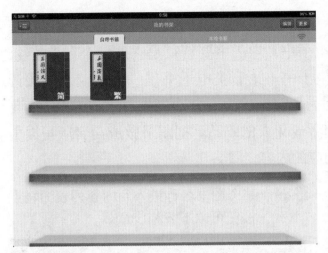

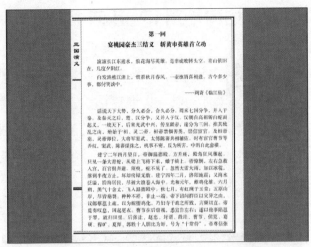

03 阅读文章时，可以轻点页面左右两侧进行翻页，轻点左边进入上一页，轻点右边进入下一页。

04 轻点屏幕中间可以打开页面的操作功能，如拖动左侧的滑块可以翻页定位。

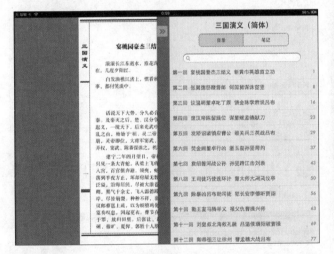

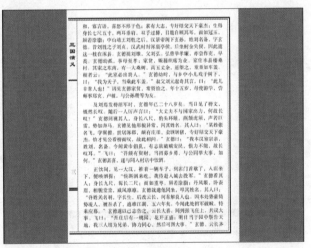

05 连续轻点两次图书页面，会自动放大图书的内容，这样更加便于观看。

06 用户也可以打开笔记功能，将阅读后的心得记录下来。

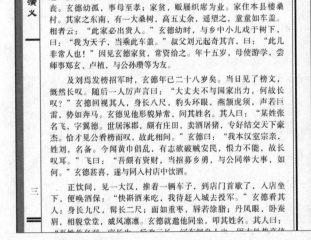

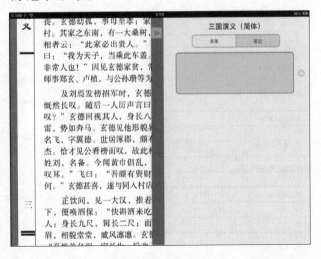

9.2.2 如何使用 iPad 听书

"听果"是另一种形式的电子书，它的主要特征是它是一个有声读物，也就是说它是一本有声音的电子书。语音类电子书是一种比较新的阅读形式，也比较适合老年人。因为长时间的阅读会让老年人感到劳累，而且 iPad 等电子产品的屏幕也会刺激老年人的眼睛。把图书做成声音版可以更方便阅读，不过弊端就是比较难翻页寻找相应的内容。

01 安装好并运行程序，进入图书列表页面，里面包含了很多畅销的书籍。

02 轻点某个图书名称进入到内容列表，轻点"下载"按钮可以下载相应章节。

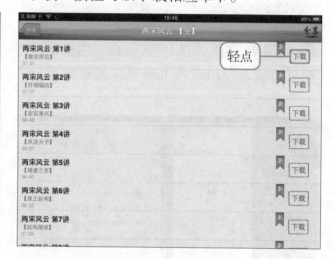

03 下载需要一定的时间，可以同时轻点几个章节一起下载，以便节省时间。

04 当相应的章节下载完成后就可以开始收听了，通过拖动进度滑块可以控制进度。

9.2.3 如何使用 iPad 读历史书

对于老年人来说，多读一读历史是很好地选择，而且大多数老年人也喜欢阅读历史书。"必读历史书"这个 APP 集合了最畅销的一些历史图书，其中包括了《史记》、《资治通鉴》、《万历十五年》等。

01 安装好并运行程序，进入书架页面，轻点即可打开相应的图书。

02 轻点书架上的《万历十五年》图书封面后可以打开本图书并进入阅读页面。

9.2.4 如何使用 iPad 逛书城

"免费书城"是一款针对网络上流行小说的软件，该程序中集合了大量的网络连载小说，包括各种各样的题材，对新小说感兴趣的老年人也可以选择阅读。

01 运行下载安装好的"免费书城"程序，然后轻点"本地书城"按钮以获取图书列表。

02 轻点图书可打开内容简介页面，如果喜欢该图书可轻点"马上阅读"按钮进行阅读。

中老年人学iPad一看就会（全彩畅销大字图解版）

9.2.5 如何使用 iPad 读二十四史

二十四史是中国历史典籍中的经典，其中很多故事都是大家耳熟能详的。不过二十四史是一本非常厚的著作，如果都购买回来需要很大的一个书架了。而"二十四史"APP 应用将二十四史整理成单本的电子版，阅读起来非常方便。

01 下载并安装好"二十四史"程序，运行后显示出图书的封面选择页面。

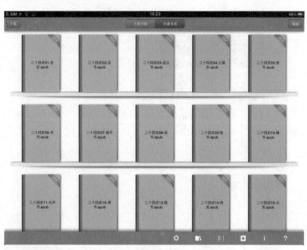

02 轻点《三国志》的封面，即可打开三国志这本图书并开始阅读。

9.2.6 如何使用 iPad 的工具书

"新华字典"功能全面，支持汉字、拼音、部首、笔划数查询等超强功能。"汉语词典"中有40万海量汉语词典，包括了汉语所有的词汇，它将是你日常生活和学习重要的工具。

01 下载安装好"字典词典 HD"程序，然后运行该程序。

02 以"成语词典"为例，轻点打开后会显示字母选择列表，轻点选择 C 开头的成语。

03 打开以 C 开头的各种成语，按照音序排列各成语，轻点"才高八斗"选项。

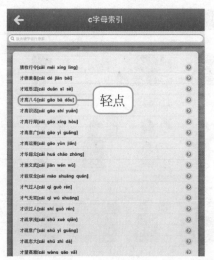

04 打开成语内容页面了解成语的具体内容，包括来源、注释等。

9.3 网上购物不排队

老年人腿脚不方便，不太适合去逛街买东西。虽然有儿孙会帮忙购买，但是始终比不上自己挑选来得令人满意。现在网购发达，使用 iPad 就可以选择网络购物，随时挑选适合自己的生活用品。

9.3.1 如何去淘宝购买保暖内衣

淘宝网是大型综合性的网上购物网站，它的主要特点是物品非常全，几乎包括了日常生活中衣食住行的方方面面。

01 轻点"淘宝 HD"程序图标，进入淘宝 iPad 首页。

02 根据自己的需求，在搜索栏输入需要搜索的产品关键字，比如保暖。

03 在搜索结果中，会出现大量相关的店铺与产品供您选择。

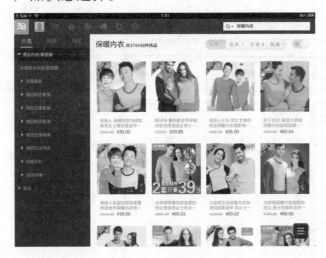

04 轻点右上方的"信用"选项，将产品按信用度进行重新排序。

05 选择一款适合自己的保暖衣，然后轻点"立即购买"按钮，进入支付环节。

06 淘宝购物肯定需要一个自己的账户，输入用户名和密码，就可以下单购买了。

07 这里还可以对产品的大小、颜色等细节进行精细选择，选好后轻点"确定"按钮。

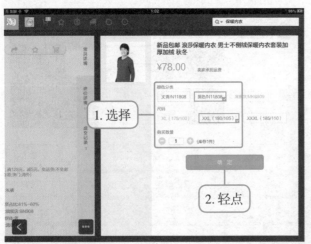

08 确定产品的所有信息均准确后，轻点"确认购买"按钮，然后就可以等着商家发货了。

9.3.2 如何去京东购买按摩垫

京东网是自营的网络购物网站，所以对货品的真实性和质量都控制得很好，而且往北京及其周边地区发货的速度非常快。

01 在主屏幕中轻点"京东HD"图标，进入京东iPad购物首页。

02 在搜索栏中输入要购买的产品，比如输入"按摩垫"。

03 接下来会出现与之相关的产品列表，这里还可以进一步选择产品列表的显示方式。

04 轻点"销量"选项，即可按照销量的多少进行重新排序。

05 轻点一款适合自己的产品，进入该产品的销售页面。轻点"加入购物车"按钮，在底部的"购物车"中出现该物品进入的标志。

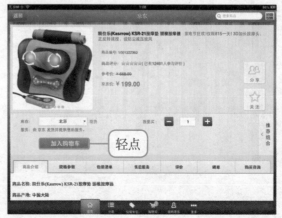

06 轻点底部的"购物车"图标，在打开的页面中会出现所选择的商品清单。轻点"去结算"按钮，就可进入结算窗口。

07 输入个人在京东网的用户名和密码进行登录后，就可以进行结算了。

08 京东网提供货到付款业务，对于老年人来说更方便。

9.3.3 如何去当当购买图书

当当网作为老牌的网络图书销售网站，一直具有不错的口碑，而且当当网在全国各地的网点很多，送书的速度非常快。

01 轻点"当当HD"图标，打开当当主页。

02 可通过搜索找到需要的图书。

03 轻点击折扣力度比较大的图书，然后轻点自己喜欢的图书封面进入购买环节。

04 了解图书的基本介绍之后，就可以轻点"加入购物车"按钮开始购买了。

05 在购物车中，核对该图书的销售信息，确定无误后轻点"去结算"按钮。

06 此时需要用户输入当当的注册用户名和密码登录后，才能继续进行购买。

07 在确定购买者的信息无误之后，就可以轻点"提交订单"按钮购买了。

"去哪网"可以为旅游者提供国内外机票、酒店、度假和签证服务的深度搜索，并帮助中国旅游者做出更好的旅行选择。中老年人只需轻松地使用"去哪网"的 iPad 客户端，就可直接进行相关火车票和机票的快速查询与购买、预定酒店等操作。

9.4.1 如何搜索火车票信息

出行时火车一般都是首选交通工具，除了春运的时候，火车还是非常方便快捷的，特别是有了动车之后，出行变得更加方便了。

01 在"去哪网"首页的火车票页面中选择出发地和目的地，然后轻点"搜索"按钮。

02 在搜索结果页面中，轻点火车的具体信息，即可查看开车和到达时间。

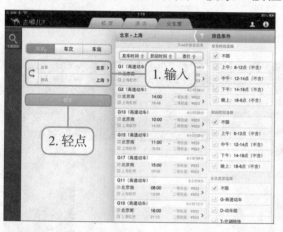

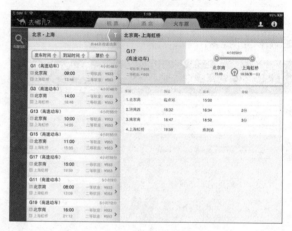

9.4.2 如何订打折飞机票

坐飞机出行无疑是最方便的，不过飞机票一般都比较贵，利用网络的便利购买打折飞机票，无疑是一种既快捷又节省的方式。

01 "去哪网"的飞机票折扣最高，是购买飞机票的首选。先选择出发地和目的地。

02 接着选定出发时间。时间不能错误，否则打折信息会发生变化。

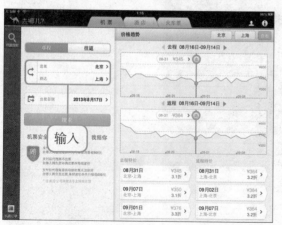

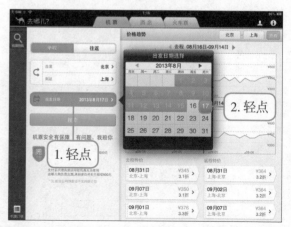

03 确定信息后，就可以搜索并显示出所需航班的打折信息的公司列表了。

04 轻点折扣比较高的航班，然后在代理商页面中选择价格优惠的商家。

05 接下来就是填写联系人的信息。需要特别说明的是，身份证和姓名不能写错，否则就无法准时登机。

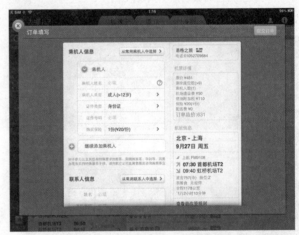

9.4.3 如何预订酒店

对于出行来说提前订好酒店会非常方便，特别是对于老年人来说，会省去很多寻找酒店的时间，让出行变得更加愉快。

01 在"去哪网"中轻点"酒店"选项，就会出现酒店的搜索页面。

02 轻点"搜索"按钮，打开搜索控件，用户可以选择入住的城市名称。

03 轻点选择大概的位置信息。

04 接下来轻点选择入住时间。

05 然后选择要入住的酒店价格，选择一个适合自己的价格区间。

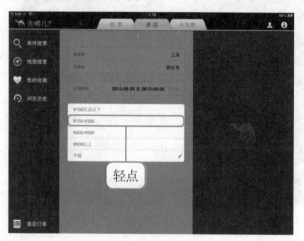

06 确定了酒店的入住条件后轻点"搜索"按钮，就可以搜索到符合用户要求的酒店了。

07 轻点符合自己消费的酒店，就会出现该酒店的位置和地址等信息。如果确定入住，轻点"立即预订"按钮。

08 接下来就需要用户输入预定的信息和联系方式。完成后只需轻点"立即预订"按钮，就可以预定该酒店了。

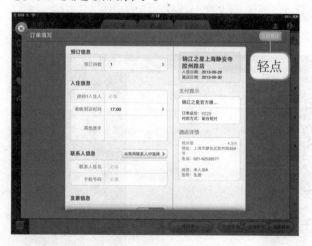

Chapter 10 孩子教育我有方

 张爷爷

李奶奶，我看你每天拿着 **iPad** 和小孙子一起玩，都玩一些什么呐？

 张爷爷

不怕耽误他学习吗？

李奶奶

当然不会啦，有很多好玩的东西，而且还能学到很多知识呢。

李奶奶

很多故事之类的都可以让他自己读，省得我再给孙子讲故事了。

玩电子游戏早已不再是大孩子的专利了，特别是 iPad 中的某些游戏，两岁的小宝宝也可以玩得不亦乐乎。本节就将介绍几款合适小宝宝玩的游戏，保证你在哄孙子的时候让他玩得很着迷，而且还能学到不少知识哦。

10.1.1 如何让 Tom 猫陪孩子玩

"Talking Tom" 又名 "会说话的汤姆猫"，是当前 iPad、iPhone 和安卓系统中最常见的逗乐游戏，很适合取悦小朋友，因为它非常有趣。

01 下载并安装好 "Talking Tom" 游戏。告诉宝宝是哪个图标，他很快就会记住的。

02 载入程序后，这只猫会先打个哈欠。开始耐心地和宝宝一起游戏吧！

03 如果长时间不对屏幕做什么动作的话，这只猫会侧头来听外界的声音。

04 当他听到外界的说话声后，会用奇怪的语调重复你说的话。

05 当你轻点屏幕中的 图标时，猫的身后会出现一只狗，然后打破一个袋子。

轻点

06 打破袋子时发出的声音会把猫吓一跳，并跳到吊灯上直打哆嗦。

07 如果频繁地用袋子吓猫，有时候会被猫发现，这时就吓不到它了。

08 如果轻点 图标，那只狗会跑到猫的身后放屁。

轻点

09 这时，猫会捏住它的鼻子，做出闻到臭味的表情。

⑩ 轻点页面左上角的◙按钮可以把猫的表情动作录制下来，轻点◙按钮即停止录制。

⑪ 录制下来的内容可以上传到网络上，也可以保存在本地或发送给其他人。

⑫ 如果选择"通过电子邮件发送"选项，将打开邮箱系统。此时可通过邮箱发送录制的文件。

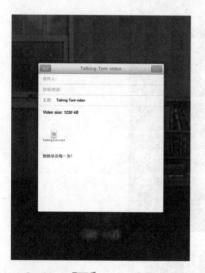

⑬ 除了以上操作外，还有很多好玩的玩法，比如用手指点几下它的头或脸，它就会被你打晕；摸摸他的鼻子、肚子、尾巴和脚等，它也会有相应的动作。

多学一招

如果升级为付费版的应用程序，这只猫还会有更多的动作和表情。

10.1.2 如何与 Ben 狗说话

"Talking Ben（会说话的本）"是一名退休的化学教授，他很喜欢阅读报纸，品尝美食、美酒。只要使他合上手中的报纸，你就可以和他交谈，用手指碰碰他或给他挠痒痒，甚至跟他电话交流。如果来到实验室，他就会欢呼雀跃。在那里，可以把两支试管里的液体混合在一起做化学试验，观察各种神奇的反应。

① 运行程序，Ben 在认真地看报纸，你需要多轻点几下报纸，他才会合上报纸。

② 合上报纸后，你可以碰碰他的脸、肚子、脚或手，也可以敲打他，他会根据你的动作作出相应的反应。

③ 当你跟他说话的时候，他会认真地听你说，然后重复你说的话。

④ 轻点 按钮或电话机，Ben 会拿起电话与你交谈。当你不说话时，他会挂掉电话。

⑤ 轻点 按钮，他会拿出美酒来喝，喝完会扔掉瓶子。

⑥ 轻点 图标，他会拿出食物来吃，吃完后会扔掉罐头。

07 轻点▣图标，他会张开嘴巴打嗝。轻点墙上的毕业照，他会打烂玻璃相框。

08 轻点▣图标，Ben 会非常高兴地来到实验室。在这里可以看到有一些实验用的器皿。

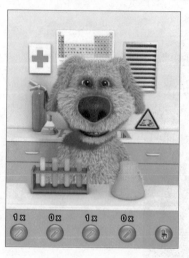

09 轻点两根装有化学物质（1×）的试管，Ben 会把试管中的物质倒入容器里。

10 化学物质倒到一起后，屏幕会出现反应，如变黑或喷射物质等。

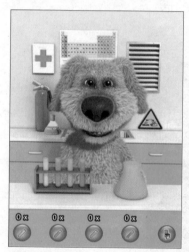

11 轻点实验室页面右下角的▣按钮将回到主页，轻点▣按钮可以将画面录制下来。

12 录制的视频可发布到 YouTube 上与人分享，或通过电子邮件发送给亲友。

10.1.3 如何让宝宝认识表情

　　"疯狂变变变"游戏中的搞笑天才宝宝的头、眼、嘴、身体被设定为四个关键部位。每个部位都有几个表情。轻点不同的部位会随机显示出一种姿态，与其他的部分组成新的表情，表达不同的情绪。宝宝在玩这个游戏的同时，可以潜移默化的认识情绪、体验情绪、了解情绪。

01 第一次登录这个游戏，可以先注册一个通行证，完成后登录游戏。

02 在游戏页面中，可以看到四个表情宝宝，轻点中间的宝宝的头进入游戏。

03 进入游戏后，轻点不同部位可以换表情，同时会发出不同的声音。

04 轻点眼睛，宝宝会更换一个表情，同时根据表情发出适当的声音。

05 再次轻点眼睛，会再次更换一个表情，眼睛的表情共有四种。

06 轻点嘴巴部分，嘴巴也会更换一个表情。嘴巴同样有四种表情。

07 轻点身体部分，会替换一种手的姿势，同时更换一套衣服。

08 也可以同时更改两部分以上的表情，组合出不同表情或衣着的宝宝。

09 轻点头部，也有四种不同的状态，如加上头发或帽子等。

多学一招

身体分为四个部分，每个部分有四种变化，这样就共有十六种变化。另外，还有一款类似的游戏"疯狂变变变2"，这个游戏的玩法是一样的，不同的是，"疯狂变变变2"的主角是一只可爱的狮子，有兴趣的话可以下载来试试看。

10.1.4 如何陪孙子玩夹娃娃机

　　"3D可爱夹娃娃机"新版本中增加了不少新元素,例如UFO和异色版公仔等。该游戏的玩法也很简单,只要控制下放的夹子机械臂的方向,看准就轻点"夹"按钮。每次有20枚金币,每夹一次用掉一枚,而每过三分钟就会多一枚金币。这个游戏更适合大一点的孩子玩。

01 安装好游戏软件并轻点图标运行游戏,等待载入程序。

02 在"开始游戏"按钮中可以看到目前的金钱数,最开始有20枚金币。

03 轻点"开始游戏"按钮进入游戏,每次游戏需要一个金币,轻点"开始"按钮。

04 开始游戏后出现前后左右四个按键,通过这些按键可调整夹子的位置。

05 将夹子移动到你认为合适的位置。

06 轻点"夹"按钮开始夹娃娃。

209

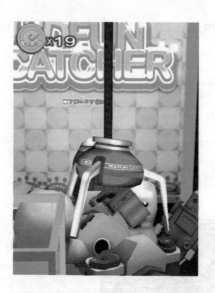

07 夹到物品后再用方向键移动夹子到物品框的正上方。

08 然后释放夹子，夹到的物品就会掉进物品框内。

09 这样就成功夹到一件物品，这个物品将储存到奖品收藏中。

10 接着开始新一轮的游戏，如果夹子的位置控制不好，就会夹不到东西。

⑪ 轻点"刷新"按钮可以更改柜子里的物品，更新物品需要 3 个金币。

多学一招

轻点主页中的"奖品收藏"按钮，可在打开的页面中将夹到的物品换成金币。

10.1.5 如何教孙子看图猜成语

成语是孩子学习中文的一个最佳途径。如果只是简单的文字，会缺乏互动性。这里推荐"看图猜成语"这个软件，老年人可以带着自己的孙辈一起来学习成语。

① 运行程序，出现该软件的操作界面，轻点"开始游戏"按钮即可进入游戏界面。

② 在游戏首页还可以对游戏的基本属性进行修改，比如声音或者音乐。

③ 进入游戏界面后，看图猜成语，轻点下面的文字组成成语。

④ 这款游戏最大的好处是便于小孩玩，而家长则可以在旁边加以辅导。

05 如果输入的成语正确，就会出现该成语的出处以及具体的解释。

10.2 有声读物听声学习

　　"有声读物"想必很多人都接触过，起码中学时代学习英语时就接触过有声读物，没错，当时是录音带。如今的小孩更幸福了，有了高科技的产品，不单可以听声音，同时还可以看到形象的动画，更加容易理解所学的内容。

10.2.1 如何陪孙子听成语故事

　　"让孩子长智慧的100个成语故事"特意选取了一百个耳熟能详且生动有趣的成语故事，引导孩子进行思考和想象，打开他们善良、诚实的心，帮助他们形成热爱生活、机智勇敢的信念。这是一套可以帮助孩子塑造诚恳正直、善良纯洁等美好品德的教育读物。

01 下载并安装本应用到iPad中，轻点程序图标运行程序。在首页先选择阅读方式、翻页方式和语言等，然后轻点"开始阅读"按钮。

02 初次进入可先阅读操作说明，熟悉操作。然后轻点右下角的![]按钮进入下一页。

03 如果轻点"读给我听"按钮，就会开始朗读这个故事。朗读完一个故事后，如果翻页方式设置为自动，将自动进入下一页；如果是手动，则需要轻点右下角的 ➡ 按钮。

04 在朗读故事的过程中或朗读完成后，轻点页面中的人物，会有相应的说明语音。

05 使用操作说明中快速选页的方法，可以快速跳转到后面的页面。

10.2.2 如何让宝宝自己听童书

《叽叽和嘎嘎》是《宝宝童书》系列中十分受欢迎的一本，讲述了小鸡会飞，小鸭会游泳，狐狸既不会飞也不会游泳，小鸡小鸭能够保护自己，但是小鸡却在遇到危险的时候忘记小鸭的故事。

01 下载并安装好"叽叽和嘎嘎"程序，轻点运行程序。

02 首先选择阅读方式，并设置翻页方式为手动翻页或自动翻页。

03 轻点"读给我听"按钮，进入第一个故事并进行朗读。

04 读完一页后，会自动翻到下一页继续朗读，直到这个故事的最后一页。

05 阅读过程中，可以轻点屏幕右上角的喇叭图标，关闭阅读的声音。

06 一个故事阅读完后将返回主目录，轻点页面中的"录音"按钮，可以录音。

中老年人学iPad l 看就会（全彩畅销大字图解版）

07 然后打开故事，可以让宝宝自己朗读故事的内容，完成一页后轻点下一页按钮。

08 这时弹出提示，询问是否重新录音或者删除录音等。

09 轻点屏幕右上角的麦克风按钮可以关闭本页的录制。

10 录制完故事后，返回主菜单轻点"播音"按钮。

⑪ 此时就可以听到宝宝自己录制的故事了。

10.3 让宝宝快乐学习

　　本节将介绍几款可以教育引导宝宝学习的程序，更好地开发宝宝的智力和协调能力，也能提升宝宝的想象力。

10.3.1 如何对宝宝进行左右脑开发

　　0岁~7岁是儿童智力发展最快的时期，也是儿童智力开发最宝贵的时期。在这个时期，我们要把握儿童各种能力发展的关键阶段，给予符合孩子大脑发育特点的教育，充分开发其智能，使左右脑协调并用、充分整合，使孩子的智力得到全面发展。本程序"我的第一套左右脑开发书（2岁）"包含100多题益智互动问答和多种游戏，可用以锻炼孩子的大脑。

① 启动并进入游戏界面后，轻点"开始阅读"按钮。

② 仔细观看此操作说明，看完后轻点右下角的箭头按钮。

③ 进入对人体大脑的说明页面，可轻点下一页按钮跳过。

④ 进入益智互动环节，这一题要求小朋友找出画面中三个物体中哪个是小布熊。

05 正确轻点小布熊，程序会提示"你的眼力真好"，如果不对，则程序会提示"再找找看吧"。

06 正确答题后可以分别轻点三个图案，看看有什么反应，然后进入下一页。

07 这一题是考小朋友对形状的分辨能力，找出四四方方的图案。

08 正确答题后同样可以轻点三个图案，看看有什么反应。

09 轻点右上角的"快速选页"按钮可以快速打开其他页面。

10 轻点左上角的菜单按钮则将快速返回游戏主页面。

10.3.2 如何教宝宝学数学

"宝宝学数学"共分多个难度等级，年龄覆盖2岁~6岁学前儿童，全面提高儿童的综合素质；以多媒体为主导，以互动式学习为基本理念；倡导孩子在充满挑战性的游戏中主动学习。

01 下载并安装此应用到iPad中，轻点图标运行程序。进入游戏后，轻点第一个没有锁的头像。

02 系统会随机在主屏幕上摆放一些物品，要求宝宝回答正确的答案。轻点下方的几个数字就可以回答问题。如果答案错误的话，会提示宝宝"再试试看"。

03 如果答案正确的话，会提示"真是小天才"，并进入下一题。

04 根据具体的问题正确的回答这些问题。完成所有问题后，将会解开主页面中第一个头像之后带锁的题目。

10.3.3 如何教宝宝涂颜色

想让自己的宝宝用五颜六色的画笔涂出自己的小世界吗？"宝贝涂涂看"，寓教于乐，是宝宝爱不释手的可爱小游戏，可让宝宝用颜色表达思维。快把宝宝自己的小世界带回家吧！

01 下载并安装游戏到 iPad 中，轻点运行程序。首先滑动画面，选择一个自己喜欢的图案。在开始之前先认真看这个图画各部分的颜色，可以参考这个来上色。轻点图案进入图画页面。

02 先在页面下方选择一种彩笔，然后在画面中轻点一下，这样被点的部位就涂上了颜色。如果觉得颜色上错了，可以轻点左侧的"撤销"按钮撤销操作。

03 用户可以参考预览图的颜色来上色，也可以根据自己的喜欢来填色。比如，选择蓝色彩笔，给背景涂上一种蓝色。

04 接着选择灰色的彩笔，给牛的眼睛填色。

05 再选择绿色，给牛的嘴巴填色。

06 如果觉得所有部位的颜色都填得不好，可以轻点"清除"按钮将所有颜色清除。

07 给牛填好颜色后，可以轻点"保存"按钮将填色的图案保存起来，保存的图案可在相册中被找到。轻点"返回"按钮可以返回到主页面。

08 下图所示为保存的图案效果。

Chapter 11 身体健康享幸福

 张爷爷

> 李奶奶，我看你身体一直挺好，健健康康的。

 张爷爷

> 有什么秘诀吗？也告诉一下我吧！

> 张爷爷，我的秘诀你也有啊，就是 **iPad** 啊，里面有很多关于保健的知识和应用呢。

李奶奶

李奶奶

> 多看看，然后生活中多注意一下，身体自然就好啦！

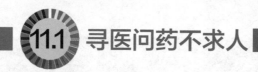
对于老年人来说，身体健康是最重要的。如何寻找好医生，或者是找到一个良好的保健助手，这些都可以在 iPad 上做到。下面就让我们看看如何实现这些功能吧。

11.1.1 如何在线寻医问药

"好大夫在线"创立于2006年,是中国领先的医疗信息和医患互动平台。创立之初，好大夫在线聚焦于为中国患者提供就医参考信息，建立了互联网上第一个实时更新的门诊信息查询系统。在众多医生和患者的支持和参与下，经过几年地快速发展，好大夫在线已经在多个领域取得领先地位。

01 轻点"好大夫在线"程序图标，进入该软件的主界面。轻点"按疾病找"按钮。

02 打开按照疾病查找的页面，在这里可以根据医学分科，选择需要诊断的门类科目。

03 比如老年人比较喜欢中医，轻点"中医学"选项，在右侧会有中医的具体分科。

04 选择某个具体的病痛特征后，轻点右上角的"搜索"按钮。

中老年人学iPad｜看就会（全彩畅销大字图解版）

05 打开后会出现医生列表，其中还有这些医生的网络评价。

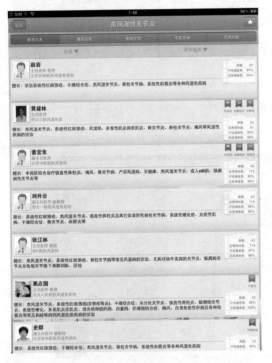

06 用户也可以在"好大夫在线"中找到一些常见病进行关注。

07 轻点相应的列表名称，即可查看具体内容。

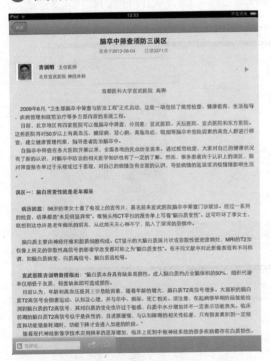

08 关注之后，就会出现这些病的普及知识。

多学一招

在一些比较大的城市里，知名医院和知名医生的号是很难预约和挂到的。因此，中老年人在去医院就诊前，如果能对自己的病症和相关的医院及医生有一定的了解的话，在选择医院和挂号就诊时就能更有针对性，看起病来也能更方便。

11.1.2 如何掌握自己的健康

　　"掌握健康 HD"是一个集医疗、保健、自我诊断和药理知识为一体的软件。通过该软件可以对自己的健康进行一个简单检测，同时如果日常生活中遇到一些医药方面的问题，也可以通过这个软件来查疑解惑。

01 在 iPad 上安装"掌握健康 HD"程序，然后轻点图标运行该软件。

02 在首页左侧轻点"智能导诊"选项，会显示一个人体图，通过轻点某个部位可进行导诊。

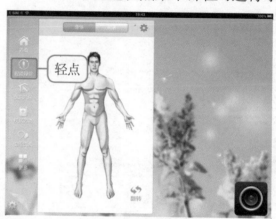

03 轻点人体图片的头部，打开头部可能出现的疾病列表，轻点"记忆障碍"选项。

04 选择在你身体上出现的各种症状，这是一个多选题，选好后轻点"下一题"。

05 选择症状完成之后，打开相应症状查看页面，轻点"查看可能疾病"按钮。

中老年人学iPad｜看就会（全彩畅销大字图解版）

06 此时可以看到诊疗得到的结果，这个结果仅供参考。

07 轻点"医院药店"选项，打开全国医院分布列表，然后轻点"北京"选项。

08 轻点后将显示出北京地区的大部分医院的名称。

09 轻点某一个医院的名称，会打开医院的简介页面，可查看其详情。

10 轻点"门诊排班"选项，打开门诊科室和科室中的医师列表。

11 轻点某个医师，可以打开医师的介绍页面，查询简单的信息。

⓬ 也可以轻点"科室"选项，查询医院中各科室信息。

⓭ 还可以直接轻点页面最右侧的"医生"选项，以查询医院中的医生的信息。

⓮ 轻点"疾病药物"选项，可以打开常见疾病、科室和部位选择列表。

⓯ 轻点"常见疾病"选项，可以打开常见疾病列表，轻点"感冒"选项。

⓰ 此时会显示出感冒的基本信息，包括症状，所属的科室等信息。

⓱ 右侧的疾病介绍的小分类栏中也是有内容的，比如轻点"病因描述"可以查询病因。

⑱ 在页面中间列表中轻点"药物"选项，可以打开药物对应的列表，然后轻点"常用药物"选项。

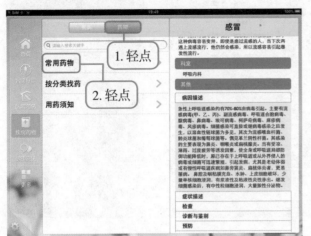

⑲ 在"常见药物"列表中列举了包括感冒药在内的很多药物，轻点"解热镇痛"选项。

⑳ 在打开的列表中显示了三种最常见的解热镇痛药，轻点"芬必得"选项。

㉑ 在芬必得介绍页面中可以看到关于药物芬必得的各种信息和注意事项等。

㉒ 轻点左侧主导航中的"健康资讯"选项，打开相关的分类，轻点"近期多发"选项。

㉓ 在打开的列表中显示了一些常见的多发疾病的图文列表。

㉔ 轻点选择某一种常见多发病，可以了解其详细的信息。

㉕ 轻点"更多"选项，打开更多的选项卡，轻点里面的"化验单解读"选项。

㉖ 在打开的选项卡中轻点"排泄物、分泌物及体液检查"选项。

㉗ 在打开的小类选择列表中轻点"尿液常用特殊检查"选项。

㉘ 在打开的列表中轻点"一小时尿沉渣计数"选项，可以查询到相应的信息。

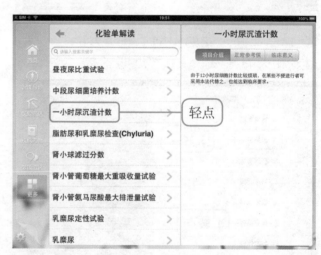

中老年人学iPad 一看就会（全彩畅销大字图解版）

11.1.3 如何查找所需的药物

中老年人可能经常会遇到将药瓶或说明书弄丢的情况，或者长时间不服用，偶尔服用时却不知道应该如何服用的情形。"用药助手"可以帮你查询药物如何使用，或有些什么注意事项，非常方便。

01 在iPad上安装"用药助手"程序，然后轻点运行程序。

02 在弹出的页面中输入相关信息，并轻点"我要注册"按钮，在互联网注册一个账号。

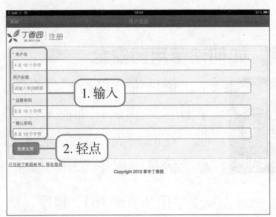

03 注册成功之后重新登录程序，进入程序的首页。

04 轻点"药品分类"选项，打开药品分类页面，药物分成西药和中成药两类。

05 选择药品分类中的某一个类型，可以打开更加详细的类别和对应的药物。

06 选择某种具体的药物，打开药品的介绍页面，可以了解各种更详细的信息。

11.1.4 如何注意用药安全

俗话说"是药三分毒"，日常用药是一个非常大的问题。很多人对于日常的疾病比如感冒等都并不重视，经常自己到药店购买一些药来吃，这时候我们需要特别注意药理。这里我们就介绍一款可查询用药安全等信息的程序"用药安全HD"。

01 在iPad上安装"用药安全HD"程序，然后轻点图标运行程序，打开首页。

02 首页中间是一些推荐的快捷链接，轻点某个链接可以直接找到相应的药品。

03 此时轻点右侧药品列表中的某一种药物，可以打开药品的介绍页面。

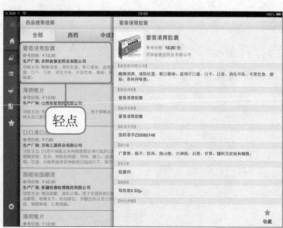

多学一招

在左侧导航列表的最下端是"设置"按钮，轻点可打开"设置"面板，以进一步了解该程序。

04 除了快捷方式之外，就需要按照常规方法进行查询了，轻点"对症找药"选项。

05 在打开的症状列表中轻点选择一个症状，可以打开此症状的药品。

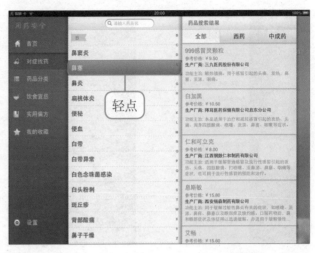

06 选择某种具体的药品，打开药品介绍页面，可以了解各种详细的信息。

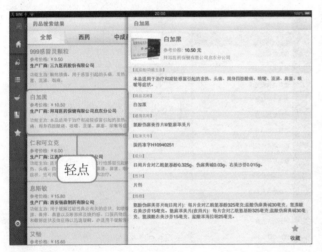

07 轻点"药品分类"选项，可以打开常规药品分类选项面板。

08 在打开的药品分类面板中，轻点选择"呼吸系统"选项，可打开更细的分类。

09 轻点详细分类中的"止咳祛痰和感冒药"小分类选项，打开此小分类对应的药品。

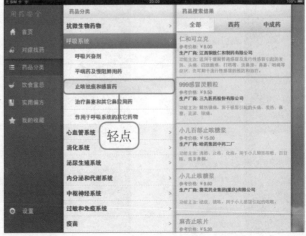

⑩ 轻点"饮食宜忌"选项，打开某些症状在饮食方面的注意事项。

⑪ 轻点"心脏病饮食宜忌"选项，打开心脏病患者在饮食上的注意事项。

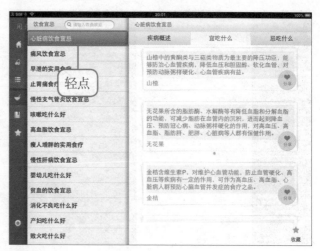

⑫ 轻点"心脏病饮食宜忌"页面右侧的"忌吃什么"选项，查看心脏病不应该吃的食物。

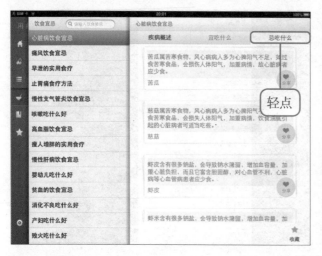

⑬ 轻点"心脏病饮食宜忌"页面中的"疾病概述"选项，可查看心脏病的基本症状。

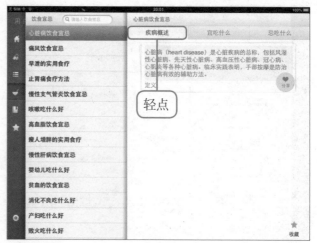

⑭ 轻点"实用偏方"选项，可以打开一些常用的实用偏方。

⑮ 选择某一个实用的小偏方，可以打开偏方内容页面。

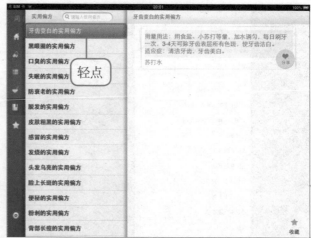

中老年人学iPad｜看就会（全彩畅销大字图解版）

老偏方

11.1.5 如何使用老偏方

老年人由于各种经验都非常丰富，一般都会一些简单的小偏方。"老偏方"程序就是这类偏方的集合，俗话说"小偏方治大病"，有很多偏方都是众多人通过很长时间积累才总结出来的。

01 安装并运行"老偏方"程序，打开老偏方的首页，轻点"进入"按钮。

02 在导航页面中可以看到关于皮肤、五官、内科、外科等分类。

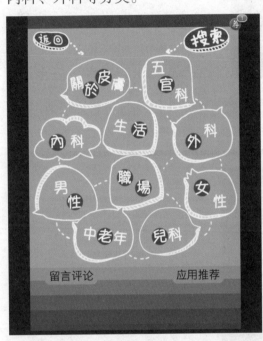

03 选择某一个分类，打开分类的详细列表，轻点某一个标题进入内容页面。

04 在某一个具体的分类页面中会显示具体的症状和偏方的具体内容。

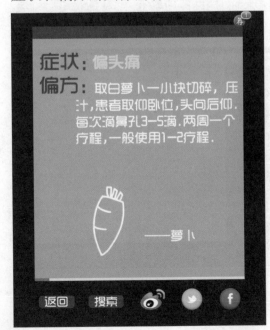

中老年人学iPad｜看就会（全彩畅销大字图解版）

日常生活中需要自我调养和养护，而日常的保养总缺乏一定的条理性和科学性，不过有了iPad的科学管理手段后，就可以让老年人的保养变得更加科学。同时iPad中还有很多关于养生保健的书籍和资料，这些也可以作为养生的参考。

11.2.1 如何记录自己的血压变化

经常测量血压却没有一个科学的记录方法，有时记在纸上，有时则会忘记记录。这样就无法达到对血压进行记录和监测的目的。在此，向大家介绍一款"血压记录"程序，它不仅可以记录血压，而且可以形成图表进行日常血压的查看，甚至还可以导出文件，便于资料的转移和保存。

01 轻点"血压记录"图标运行程序，在这里可以输入血压记录的相关数据。

02 轻点某个选项，输入各种数据后，轻点"完成"按钮即可。

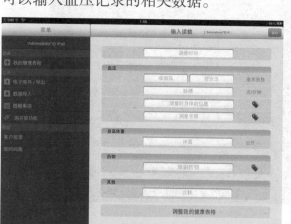

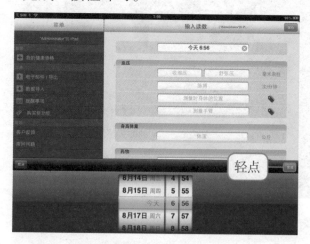

03 在输入血压的各项数据和身体体重之后，就会出现当日的血压记录数据。

04 轻点"我的健康表格"选项，就可以看到自己的当月血压，甚至是一年的记录数据。

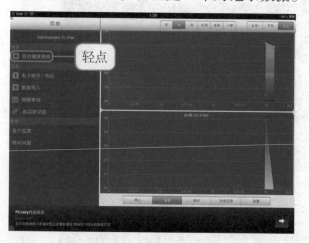

05 在健康数据统计中，也会用数据的形式展现老年人的血压记录情况。

06 在设置面板中，用户可以设置一些常用的数据，以便于日常管理。

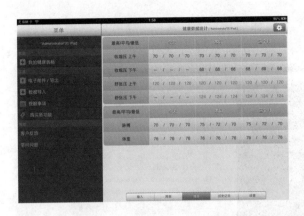

07 在"电子邮件/导出"选项面板中，可以将日常记录的数据用各种不同的形式导出。

08 该软件还有提醒功能，如果用户忘记了检查血压，软件会提醒用户及时检查。

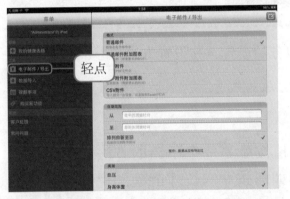

11.2.2 如何记录血糖情况

血糖记录

"血糖记录"程序和"血压记录"程序非常类似，目的就是长期规范地记录下血糖的变化数据。高血压和高血糖是中老年人的多发病，所以一定要多关注这方面的数据变化，防患于未然。

01 启动并运行"血糖记录"软件，打开的首页是引导使用的内容。

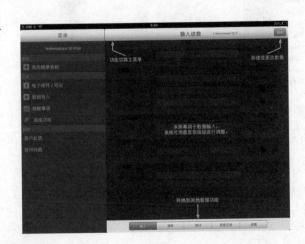

02 按照首页的指示将记录的各种数据都统计到页面中。

03 当然和血压记录一样，也可以将各种数据都导出到电脑中进行保存。

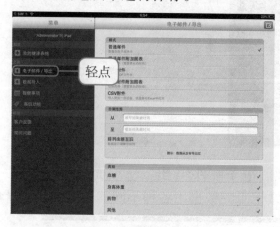

> **多学一招**
>
> 同样，在"血糖记录"软件中也可以进行提醒服务的设置，其设置方法与上一节介绍的"血压记录"的方法相同，在此不再赘述。

11.2.3 如何认准穴位进行按摩

老年人需要日常保健，而穴位按摩是一个不错的方法。但是如何能准确地找到穴位所在的位置，如何按摩穴位才能起到保健、养生的作用，恐怕对于很多人来说，都是比较困难的事情。这里就推荐一款"经络穴位大全"程序，通过直观地画面让您了解各个穴位的位置。

01 轻点软件进入主页面，主页面是人体穴位分布图。

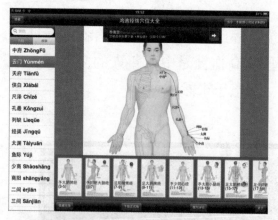

02 选择某个学位之后，会弹出其相应的简单介绍，包括认穴等。

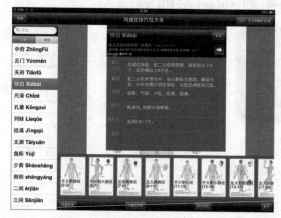

> **多学一招**
>
> 在该应用程序中，详细列出了人体各个穴位的名称。不仅如此，对于很多穴位名称中出现生僻字，该应用程序还非常贴心地在旁边加上了拼音注释，方便用户进行查看。每个穴位都以图示的方式精确地展示出了所在位置。轻点穴位名称，即可查看该穴位的取穴方法、主治病症等相关信息。

11.2.4 如何阅读保健畅销书

"求医不如求己"是一套非常有用的畅销书，这个系列图书中讲解了大量的医学知识和各种常用的自我调节的方法。这个系列的图书涵盖了日常生活中会遇到的各种医学和健康知识，掌握这些基本的保健常识，可以让中老年朋友生活得更加健康、幸福。

01 运行"求医不如求己全集"程序后，在书架上会显示这个系列的三本图书的封面，轻点某一个封面可以打开某本书。

02 在打开的图书中，通过顶部的设置按钮可以进行相关操作，比如轻点右上角的按钮可打开目录等。

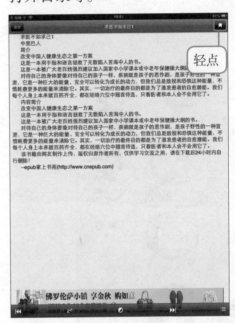

03 在打开的目录中选择某一章节并轻点一下，即可打开相应的章节。

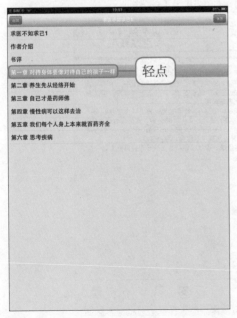

04 轻点打开的某章内容，可以通过底部的各种按钮进行快进等操作，方便阅读。

11.2.5 如何进行中医养生

中医是我国数千年积累下来的瑰宝，很多中医理论和方法都可以方便快捷地解决各种身体问题，同时又不会带来危害，所以中医是中老年人养生的首选。不过中医也是有讲究的，很多经验和药方都是经过老中医们多年研究而得，所以非常珍贵。另外大家要注意，当发觉自己患有疾病的时候，最好还是到正规的医院去确诊并听从医生的治疗意见，避免耽误病情。

01 打开"中医养生"首页，里面有各种选项，包括白领、男女、老人等分类，轻点"老人养生"分类选项。

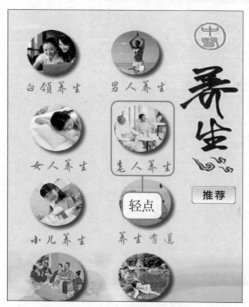

02 打开具体的内容页面，可以看到对应的内容列表，轻点"春转夏老人养生重点"选项。

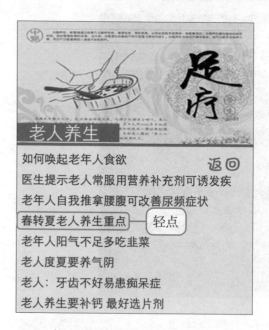

03 在打开的具体分类页面中，可以看到相应的具体内容。

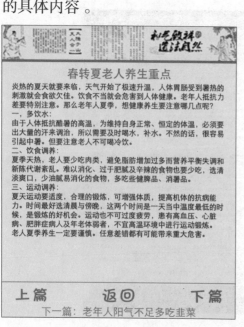

04 通过轻点"上篇"、"下篇"、"返回"等按钮，可对页面进行控制。

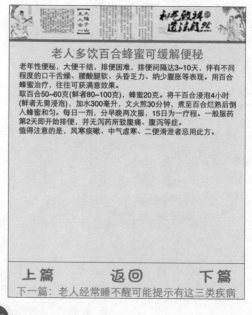

中老年人学iPad｜看就会（全彩畅销大字图解版）

11.2.6 如何自己做足底按摩

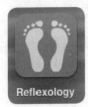

足底按摩是一种非常好的养生方式，不但可以让身心放松，还可以治疗和预防各种疾病。其实足底按摩并不一定非要在足疗店进行，只要我们掌握了基本的按摩方式，使用"Reflexology（足底按摩）"程序，自己在家也可以做。

01 进入应用的首页，可以看到几个语言选项，轻点"中文（简体）"选项。

02 轻点"我看到了顺序擦"选项，可以打开相应的按摩手法页面。

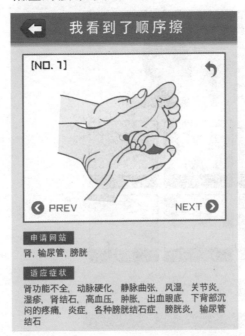

03 轻点"足部反射图"选项，打开足底各个反射区分布图，可以看到反射的对应关系。

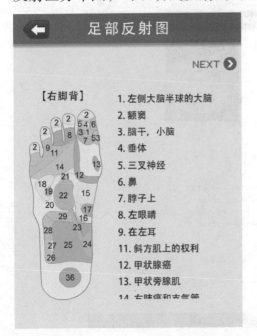

04 当然也可以反向操作，轻点某个适应点，然后选择相应的反射区。

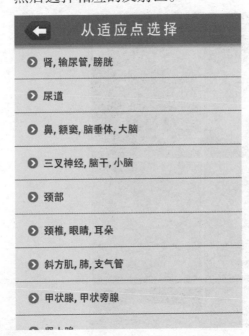

11.2.7 如何治疗失眠

失眠是困扰老年人的一个常见疾病，虽然并不像其他疾病那样严重，但是却逐渐危害着大家的身心健康。其实我们可以从穴道按摩、食物调理等方面下手，结合"失眠的辅助治疗"程序中介绍的方法，经过一段时间地调理之后，症状一定会有所好转。

01 安装并运行程序，打开首页可以看到按摩、偏方、菜谱等几个选项。

02 轻点"按摩"选项，打开穴道按摩页面，页面中有取穴和按摩的手法介绍。

03 轻点"菜谱"选项，里面有各种可以调理头疼的食物。

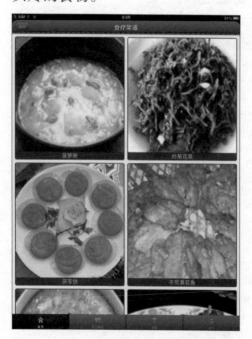

04 轻点某种食物，可以打开食物的制作流程介绍页面。

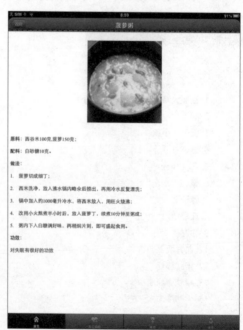

11.2.8 如何查询健康问题

"健康十万个为什么"是一个问答式的 App 应用程序，里面收集了大量和健康相关的问题和答案，可以解答日常生活中的很多健康问题。在应用中所汇集的上万条健康问答中的内容都是来自权威专家的回答，非常具有参考价值！

01 安装并运行软件后进入程序的首页，首页分为左右两部分，导航和具体的内容。

02 通过选择左侧的不同分类，可以在右侧显示不同的健康问题。

03 轻点某一个问题之后，可以打开具体的内容页面。

04 程序中还提供了一个非常方便的搜索功能，让内容查询更加方便。

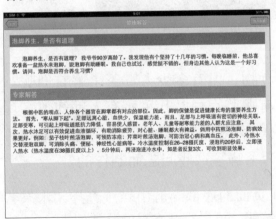

05 输入要查询的内容，然后轻点搜索按钮，即可得到查询结果。

多学一招

这个应用的查询系统得到的查询结果不但包括标题文字还包括内容中的文字，所以在搜索结果页面显示的列表中，会有些内容与搜索内容不太相符。

11.2.9 如何查阅中医养生图书

　　近些年来，在中医养生方面涌现了很多非常有用的书籍。"中医养生必读"程序就是整合了大量中医养生的图书，其中包括穴位按摩、四季养生等各种内容。中医是一门博大精深的学问，学会这些书中的养生方法可以让我们的身体更加健康。

01 安装并运行软件后进入程序首页，轻点某个图书的封面即可打开图书。

02 通过页面中的各种按钮，可以很方便地阅读图书的内容。

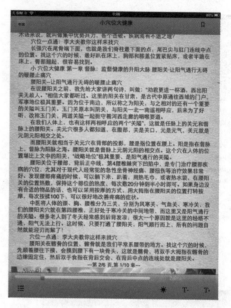

11.2.10 如何了解水果的营养

　　水果是人们日常生活中常吃的食物，但有多少人真正了解它们呢？哪个季节应该吃什么水果？吃水果有哪些宜忌？几乎所有人都知道多食用水果对身体有好处，不过大部分人都不知道水果的具体营养成分和各种禁忌等。"水果营养"程序就是为了解答这些问题而制作的。

01 运行"水果营养"程序后，在首页中显示了水果的酸碱分类。

02 在页面的底部导航中轻点选择"水果营养"按钮，可以打开水果的分类列表。

03 选择某个分类之后，在右侧会显示各种水果的特点和食用禁忌。

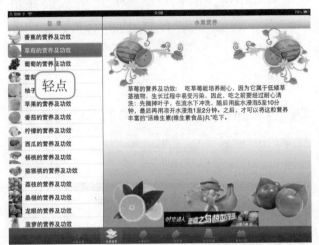

04 轻点"水果食疗"按钮，可以打开水果食疗的各种知识。

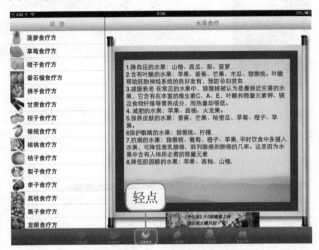

05 选择某种水果之后，在右侧会显示水果的性味、主治、功效等内容。

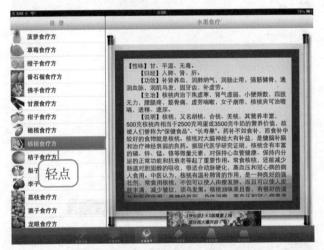

06 轻点"一年四季"按钮，会打开一年四季吃什么水果的页面。

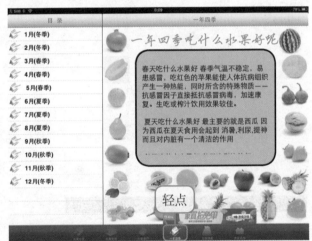

07 轻点某一个月份，即可看到在相应月份适合食用的水果。

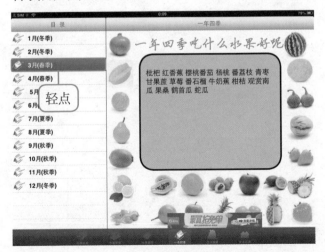

08 轻点"生活锦囊"按钮，可以打开食用水果时应注意的各种事项。

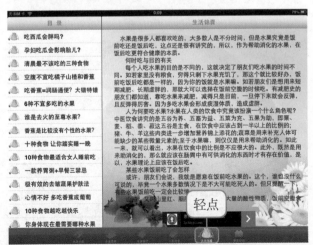

中国人特别是中老年人，对茶叶都情有独钟，很多中老年人都非常喜欢品茶。本应用就是针对这一特点，收集整理了大量有保健养生功能的药茶，希望能让大家因此有一个好身体。

01 安装并运行"保健药茶"程序，在首页显示了各种功能药茶的列表，轻点"消食健胃茶"选项。

02 在打开的列表中按照原料的不同列举了各种茶叶，轻点"山楂茶"选项。

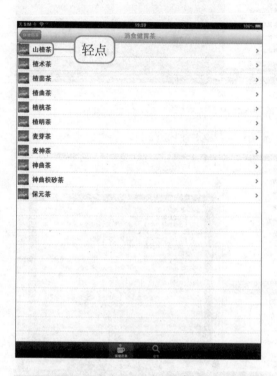

03 在打开的页面中显示了山楂茶的做法。

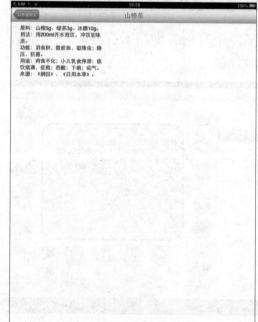

多学一招

虽然药茶可能对保健养生有一定的功效，但是很多药茶并不同于普通的茶叶，所以尽量不要过于依赖，以免适得其反。

中老年人学iPad1看就会（全彩畅销大字图解版）